ALTIN
KİTAPLAR

YAYIN HAKLARI

© CANAN TAN
ALTIN KİTAPLAR YAYINEVİ
VE TİCARET AŞ

YAYIMA HAZIRLAYAN

HÜLYA ŞAT

KAPAK

EMRE ERDEM

BASKI

1. BASIM / MART 2012
AKDENİZ YAYINCILIK AŞ
Göztepe Mah. Kazım Karabekir Cad.
No: 32 Mahmutbey – Bağcılar / İstanbul
Matbaa Sertifika No: 10765

ISBN 978 – 975 – 21 - 1435 - 7

ALTIN KİTAPLAR YAYINEVİ
Göztepe Mah. Kazım Karabekir Cad.
No: 32 Mahmutbey – Bağcılar / İstanbul
Tel.: 0.212.446 38 88 pbx
Faks: 0.212.446 38 90
Yayınevi Sertifika No: 10766

http://www.altinkitaplar.com.tr
info@altinkitaplar.com.tr

CANAN TAN

ISSIZ ERKEKLER KOROSU

BÖLÜM BAŞLIKLARI

"...yalnızlık
müziğin bile seni dinlemesidir..."

ÖZDEMİR ASAF

ÂDEMOĞLU PANSİYON

"İncecik olacak sarmalar, kalem gibi. Nah şu serçeparmağım kalınlığında. Taze yaprakla sararsın, salamura sert düşüyor. Sigaraböreğini de akşamüstü kızartırsın. Aman ha, kâğıt havlunun üzerinde yağlarını süzdürmeyi unutma. Genci var, yaşlısı var; kalp, kolesterol, şeker... Neme lazım. Favayı da tekmil istiyorum. Soğanlı, dereotlu. Ha, deniz börülcesinin kılçıkları da iyi ayıklanacak!"

"Amma uzattın Recep abi! Ne o öyle, yeniyetme ev kızlarına yemek dersi verir gibi. Duyan da ilk defa sipariş alıyoruz sanır. Bizim yaptığımız yemekler sosyetenin kalburüstü hatunlarının sofralarını süslüyor ayol. Hiçbiri de senin kadar titizlenmiyor."

"Benim misafirlerim kimselerinkine benzemez Gülbeyaz Hanım. Üstelik özel bir gece için hazırlanıyoruz. Çok özel! Orada bulunan tek bir kişinin çehresinde memnuniyetsizlik ifadesi olmamalı."

"Anlaşıldı, ver hele elindeki şu listeyi... Kaç kişilik olacak sofran?"

"On, on iki. Birkaç da beklenmedik misafir olursa... Yirmi kişilik düşün sen."

"Tamam. Cumartesi akşamüzeri hepsini pansiyona getirir teslim ederiz. İstersen, masa düzeninde de yardım ederim sana. Getirdiklerimi servis tabaklarına boşaltır, sofranı kurarım."

"Sağ ol Gülbeyaz, ama gerek yok. Siparişleri aldırtırım ben."

İlahi Gülbeyaz! Açıldığından bugüne Âdemoğlu Pansiyon' un tek bir kadın müşterisi, tek bir kadın çalışanı olmamışken, hem de böyle dişi sineğin bile kapıdan giremeyeceği özel bir gecede içeri sızıp ortalıkta boy göstermek senin neyine?

Boşuna mı koydu bu adı Recep? Âdemoğlu Pansiyon! Anadolu'nun herhangi bir yerinden kalkıp herhangi bir nedenle İstanbul'a gelen ya da İstanbul'da yaşadığı halde birkaç günlüğüne kafa dinlemek için bu mekânı seçen, yanı sıra, gelgeç müşteriden öte kalış süreleri haftaları bazen ayları bulan, farklı eğitim düzeylerine, farklı hayat görüşlerine sahip, yapı olarak benzeşen ya da zıt kutuplarda gezinen her yaştan erkek konuğa açık burası.

Müşterilerinin çoğu, "Âdem" ya da "Âdem Bey" diye çağırıyor Recep'i. Pansiyona kendi adını koyduğunu varsayarak. Düzeltme gereği duymuyor Recep. O da özde, bir *ademoğlu* değil mi?

Neden hem kadınların, hem de erkeklerin gelip konaklayabileceği bir yer açmadı da, yalnızca âdemoğullarına hitap etmeyi tercih etti Recep?

Asla *kadın düşmanı* değildi! Tam tersine, iki cinse de eşit uzaklıkta gözlemler yapabilen, haktan yana bir er kişiydi.

"Ezilen, çeşitli nedenlerle mağdur olmuş kadınlar için sığınma evleri var da, mağdur erkeklerin başlarını sokacakları bir çatı altı neden yok?" diyerek işe girişmişti.

Genel kanıya göre, *ezilen erkek* yoktu yeryüzünde. Yıkılması güç, belli kalıplar vardı. Erkekler ağlamaz ağlatır, erkekler üşümez, üşüyen kadına ceketini verir, erkekler acı çekmez acı çektirirdi. Etten kemikten yapılmışlardı onlar da kadınlar gibi ama, duygu yoksunu yaratıklardı her biri.

Oysa Recep, Âdemoğlu Pansiyon'u açtıktan sonraki şu birkaç yıl içinde bu görüşlerin aksini ispatlayan öyle çok örnek yaşamıştı ki... Hayalleri tükenmiş nice erkeğin, ayazda kalmış, kolu kanadı kırık kuşlar gibi tiril tiril titreyerek üşüdüğüne, hayattan beklentisi kalmayanların umutsuzluk içinde kıvrandıklarına, kendilerini terk edilmiş, yalnız ve ıssız hissettiklerinde çok, ama pek çok acı çektiklerine tanık olmuştu.

Garip bir rastlantıydı belki ama, pansiyona konuk olanların çoğunu dertli erkekler oluşturuyordu. Daha ilk günden görev edinmişti Recep, her biriyle ayrı ayrı ilgileniyor, anlatmak isteyenlerin hikâyelerini dinliyor, suskun kalmayı tercih edenlerin üzerine gidip onları bunaltmıyor, sırlarına saygı gösteriyor, aradaki mesafeyi ve ölçüyü belli bir düzeyde tutarak dertleriyle hemdert olmayı pek iyi beceriyordu. Öyle ki, şehrin öte yakasından bir geceliğine, sırf onunla sohbet edebilmek, içlerini dökmek için gelen müşterileri bile vardı.

İşte bu özel geceyi onlar için düzenliyor Recep. Erkek erkeğe, gerçek bir fasıl gecesi yaşayacaklar. *Kadın*'ın olmadığı bir yerde kadınları konuşacaklar. Şarkılar söyleyecekler onlar için. "Nereden sevdim o zalim kadını" diye haykıracak kimileri. "Şimdi uzaklardasın" diyerek çaresi olmayan hasretleri dile getirecekler.

Âdemoğlu Pansiyon'un çatısı altındaki tüm erkekler, hüzünlenecek, coşacak, ağlayacak, gülecek; insana dair tüm duyguları yaşayacaklar o gece...

FASIL GECESİ

Günlerdir bu işle uğraşıyordu Recep. Öncelikle bilgisayarda küçük el ilanları hazırladı, yazıcıdan çıkışlarını aldı. Pansiyonun en görünür yerlerine; giriş kapısına, danışma bölümünün arkasındaki kadife panonun üzerine, oturma salonuna, koridorlara birer tane astı. Yetmedi, gören olur görmeyen olur diyerek, davetiye niyetine oda kapılarının altından içeriye attı. O da yetmedi, herkese –özellikle de yeni gelen müşterilere– tek tek, her gördüğünde bir kez daha hatırlatarak yineledi davetini.

"Pansiyonumuzda düzenlenen geleneksel fasıl gecesine teşrifleriniz..."

Ona kalsa, böyle ağdalı bir dil kullanmazdı el ilanlarında. "Fasıl gecemize bekliyoruz!" der çıkardı işin içinden. Ancak bu aşamada Vecihi Bey'in dilini kullanmak zorundaydı. Daha önceki yıllarda da olduğu gibi gecenin mimarı o olacaktı çünkü.

Vecihi Bey dört yıllık müşterisiydi Âdemoğlu Pansiyon'un. Bunca zamandan sonra müşteri demek hataydı aslında. O da ev sahibi gibi hissediyordu kendini zaten. Dört yıl önce bir elinde küçük bir çanta, diğerinde özel kutusuna yerleştirilmiş uduyla içeriye girmiş, "Odan var mı evlat?" demişti Recep'e. "Ama sakin bir oda olacak, ona göre! Ne ben birilerinin gürültüsünü patırtısını duyayım, ne de onlar benim dımbırtımdan rahatsız olsunlar."

Koridorun sonunda, arka cepheye, pansiyonun bahçeye bakan en geniş köşe odasını açmıştı Recep. Belliydi ki kafa dinlemek için gelmişti yeni müşterisi, kafa dinlemek ve belki de yaşadığı mekân her neresiyse, orada özgürce dımbırdatamadığı uduyla baş başa kalabilmek için...

Kısa soluklanmalar dışında üç gün boyunca odadan dışarı adımını atmadı Vecihi Bey. Uzun bir hasretlik döneminin ardından susamış da, yeni kavuşmuş gibi uduyla yekvücut, alçak perdeden, bazıları Recep'in bildiği, bazılarıysa daha önce hiç duymadığı şarkıları çalıp kırık bir sesle terennüm ederek geçirmişti bütün zamanını. Sonradan öğrendi Recep, ilk kez duyduğu şarkıların Vecihi Bey'in kendi besteleri olduğunu.

Üçüncü günün sonunda pansiyondan ayrıldı Vecihi Bey. İki hafta sonra tekrar geldi. Bu defa dört gün kaldı. Sevmişti pansiyonu. Yerleşik mekânında, evinde bulamadığı huzuru ve sükûneti burada yakalamıştı galiba...

Düzensiz aralıklarla sürdü bu gidiş gelişler. Kimi zaman aylarca ortalarda görünmüyor, bazen de iki hafta üst üste Recep'in konuğu olabiliyordu. Bahçeye bakan köşe odayı mecbur kalmadıkça kimselere açmıyordu artık Recep. Vecihi Bey'e aitti orası.

Alışmışlardı birbirlerine. Yaptığı yeni besteleri ilk önce Recep'e dinletiyordu Vecihi Bey. Recep kendisine tanınan ayrıcalığın bilincinde, şarkıyı dikkatle dinleyip yorumluyordu.

Buna yorumlamak denirse tabii... Olumsuz eleştiri yapmanın haddi olmadığını düşünerek, beğenilerini iletiyordu yalnızca.

Vecihi Bey konservatuvar mezunu, bir zamanlar devlet radyosunda Türk sanat müziği icra heyeti şefliği yapmış emekli bir udiydi. (Ve Recep'in Türk müziğine, fasıla gönül vermesindeki en büyük etkendi.) Evliydi. İki kızı, iki de torunu vardı. Ancak gerilerde bir yerde kırık bir aşk hikâyesinin var olduğunu sezinliyordu Recep. Güçlü bir ilham kaynağı olmasa, bu besteleri nasıl yapardı insan?

İlk fasıl gecesini üç yıl önce, sıcak bir ağustos gecesi pansiyonun arka bahçesinde gerçekleştirmişlerdi. Doğaçlama gelişen, derme çatma bir düzenlemeydi. Tek sazlı, tek solistli, fasıl bile denemeyecek müzik sunumuna o gece pansiyonda kim varsa davet edilmiş, Vecihi Bey çalıp söylerken, oradakiler de ona eşlik etmişlerdi. Öyle uzun boylu hazırlık yapmamıştı Recep. Biraz çerez, biraz meyve, ne varsa masalara dağıtmıştı. İsteyen çay kahve içmiş, isteyen bir iki kadeh rakı parlatıvermişti.

Sonraki yıllar, içerideki geniş yemek salonunda toplanmışlardı. Masalara beyaz örtüler serdirmiş, üstlerini yiyecek içecekle donatmıştı Recep. Fasılın şekli de değişmişti. Vecihi Bey'in özel olarak doldurttuğu fasıl bandıyla renklenmişti geceleri. Böylelikle üstadın üzerindeki yük hafifletilmiş, arada gönüllü olarak çalıp söylediği birkaç şarkı dışında, seyirci ve dinleyici konumunda olmanın keyfini çıkarmıştı.

Emekleye emekleye epey yol kat etmişlerdi. Bu yılki fasıl, öncekilerden katbekat mükemmel olacaktı. Yeme içme konusunu Recep hallediyordu, fasıl müziğini de Vecihi Bey. Bir ilki daha yaşayacaklardı o gece. "Canlı müzik olacak!" diyerek yola koyulan Vecihi Bey, fasıl heyetini toparlama çabasındaydı. Mütevazı ölçülerde de olsa, sazıyla, sözüyle gerçek bir fasılın kokusunu soluyup, tadını damaklarında hissedeceklerdi izleyenler...

İyi ki Vecihi Bey vardı. Yoksa tek başına nasıl kalkışırdı böyle bir işe Recep, hadi kalkıştı diyelim, nasıl kalkardı böyle bir yükün altından?

İyiydi hoştu ama, bir yandan da koro şefliğinden gelen alışkanlıklarının etkisinde, dediğim dedik tavırlarıyla kılı kırk yararak Recep'e kök söktürüyordu Vecihi Bey. Düzenlenen mütevazı geceyi kariyerine yakıştıramadığından mıdır nedir, habire eski günleri yâd ediyor, fi tarihinde verdikleri muhteşem Türk sanat müziği konserlerini dilinden düşürmüyordu. Recep saygıda kusur etmeden, üstadını can kulağıyla dinliyor, Vecihi Bey, onun dinlediğini gördükçe daha da ateşlenip fasıl konusundaki bilgilerini Recep'in anlayacağı düzeye indirgeyerek küçük nutuklar atmaktan kendini alamıyordu.

Hazırlıkların gözden geçirildiği son gün, "Fasıl dediğin adabıyla yapılmalı!" dedi. "Önce, herhangi bir sazla yapılan baş taksim ve peşrev; sonra bir kâr, bir ya da iki beste, ağır semai, çeşitli şarkılar, yürük semai ve bir saz semaisi, istenirse bir oyun havası... Şarkılar da usullerine göre sıralanır. Önce ağır aksak ve aksak şarkılar, sona doğru yürük usulündekiler icra edilir."

Recep'in yüzündeki umutsuz ifadeyi görünce insafa gelip ekledi: "Bu en geniş konser programıdır, istendiği şekilde kısaltılabilir. Ne yaparsın, geleneksel anlamda fasıl icrası konser salonlarında, o da yalnızca meraklıları için yapılıyor artık. Benim gönlümde yatan klasik fasıllı uygulamaya kalksak, oracıkta uyur senin pansiyonundakiler."

Vecihi de biliyordu, toplumsal değişimin elini kolunu musikinin içine kadar uzatarak yozlaşmaya neden olduğunu. Hepsi için genelleme yapmasa da "arabesk, pop, rap" adı altında ipe sapa gelmez sözler, birbirinin aynı, tekdüze müziklerle sunulan ses kirliliğine elinden geldiğince kulaklarını tıkıyordu. Hele bazı restoranlarda fasıl müziği adı altında, bir şarkıcının popüler Türk müziği şarkılarını elektronik klavye eşliğinde söylemesine hiç dayanamıyordu. Hayır, isteyen istediğini söylesin, insanları onların istediği tarzda eğlendirsindi, ama bunun adı *fasıl* olmamalıydı.

Madem Recep bir klavye, bir şarkıcı kolaycılığına kaçacağına zoru tercih etmiş ve bu uğurda Vecihi Bey'in zaman zaman kaprise vardırdığı nazını, tuzunu çekmeye razı olmuştu, o da elinden gelen desteği verecekti.

"Fasıl heyeti hazır," dedi Recep'e. Son çalıştırdığı korodaki saz arkadaşları kırmamış, teklifini kabul etmişlerdi. "Udi kadrosu bana ait. Keman, kanun, klarnet, darbuka... Ve def! Bilir misin, eskiden klasik fasılları elinde zilli defle serhanende[1] idare ederdi. Bu yüzden benim vazgeçilmezimdir def. Toplam altı kişi oluyoruz. Eskilerin kırk hanende[2] ve kırk sazendeden[3] oluşan fasıl heyetlerini düşünürsek, tenha sayılırız. Hanende, sazende ayrımı da yok, herkes hem çalacak, hem de söyleyecek."

"Misafirlerimiz de koroya eşlik edince, genişleyecek kadro. Ama bunun için, kendilerini içine katabilecekleri bir repertuvar olmalı. Şarkı seçimi konusunda ne düşündünüz?"

---

(1) Fasıl başı
(2) Okuyucu
(3) Çalgıcı

Çekinerek sormuştu Recep, Vecihi Bey'in işine karışmak, onu üzmek, hevesini kaçırmak istemiyordu. Ama geceye katılacak konuklarını da düşünmek zorundaydı.

"Repertuvar hazırlanırken, şarkılar makamlarına göre ayrılır. Aynı makamdaki ya da kardeş makamlardaki şarkılar bir araya toplanır. Hüzzamla segâh, uşşakla hüseyni gibi. Her fasıl, bestelendiği makamın adıyla anılır. Hicaz faslı, nihavent faslı... Ama merak etme, bu kadar kuralcı olmayacağız. Tek makamlık bir fasıl değil bizimkisi. Ara ve geçiş taksimleriyle makamdan makama atlayabileceğiz."

Derin bir nefes aldı Recep. Taşlar yerine oturmaya başlamıştı. "Tamam hocam," dedi. "Giriş taksimini yapar ağır şarkılardan başlarsınız. Sonra da yavaş yavaş dinleyici isteklerine geçeriz."

"Dinleyici istekleri!" diye uzun uzun güldü Vecihi Bey. "Kaçınılmaz son, öyle değil mi? Madem ok yaydan çıktı, o da olacak haliyle. İş ki, curcunaya dönmesin ortalık! Bu arada, *curcuna*'nın, Türk müziğinde on zamanlı, altı vuruşlu bir usul olduğunu biliyor muydun?"

Neyse, fasıl konusunu kazasız belasız atlatmışlardı. Geriye Recep'in kendi hazırlıkları ve davetlileriyle iletişimini sıcak tutması kalıyordu ki, üstesinden gelinmeyecek şeyler değildi bunlar.

SON GÜN GELEN KONUKLAR

Sabah erkenden pansiyondaki sağ kolu, becerikli yardımcısı Emrah'la beraber işe koyuluyor Recep. Bir gün önce deterjanlı sularla silinmiş yemek salonundaki masaları uç uca getirerek, U şeklinde bir masa düzeni hazırlıyorlar. Üzerlerine kar beyazı masa örtüleri seriliyor. Recep'in o gece için özel olarak satın aldığı porselen yemek takımlarıyla sofranın çatısını oluşturuyorlar. Bardaklar, kadehler, çatal bıçaklar... Bir tek, yemek siparişlerinin alınıp getirilmesi, servis tabaklarına konulup sofraya taşınması kalıyor ki, onlar da son dakika işleri.

Her şey yolunda ama Recep'in canı sıkkın biraz. Pansiyonda kalanların sayısı düşündüğünün çok altında. Bu sabah üç oda daha boşalmış.

Ya masalar boş kalırsa... Ya zahmetlerine değmezse... Komşu işyerlerine, dükkânlara el ilanı mı dağıtsa acaba?

Neyse ki gerek kalmıyor. Akşamüzerine doğru, o el ilanlarını gökyüzüne doğru rasgele savurmuşlar gibi, müşteri üstüne müşteri yağıyor pansiyona...

Yusuf

Bileklerine kadar çamura belenmiş, ilk bakışta asker postalını andıran, yüksek konçlu kaba potinler var ayağında. Saçı başı darmadağın. Bakışları tedirgin. Birilerinden ya da bir yerlerden kaçarken, beklenmedik bir şekilde önüne çıkan mucizevi sığınağa kendini atıvermiş gibi.

Gözleri, ÂDEMOĞLU PANSİYON yazısının üzerinde, "Yeriniz var mı abi?" diyor.

Recep'in, yanıt vereceğine, tepeden tırnağa kendisini süzmesine farklı anlamlar katarak ekliyor hemen: "Param var!" Cebindeki kâğıt para tomarını çıkarıp bankonun üstüne koyuyor.

Belli belirsiz gülüyor Recep. Kaç yaşında var şu oğlan? On altı, on yedi? Bilemedin on sekiz. Yok, o kadar değildir! Neyse... Hangi rüzgâr attıysa onu buralara, belli ki fena hırpalamış.

"Koy o parayı cebine!" diyor tatlı sert. "Çıkarken hesap görülür bu pansiyonda. Ne kadar kalmayı düşünüyorsun?"

"Bir gece," diyor oğlan. "Yok yok, iki gece," diye düzeltiyor hemen. "Belki de daha fazla," diyor dişlerinin arasından.

"Adın neydi?" diye soruyor Recep, duvardaki panoya asılı anahtarlardan 16 numaralı olanı uzatırken.

"Yusuf." Bir iki saniye duraklayıp ekliyor: "Yusuf Yedekçi."

"Tamam Yusuf. Koridorun sağ tarafındaki en son oda senin."

Hayret, nüfus cüzdanı bile istemedi. Kayıt kuyut, hiçbir şey yok.

"Hepsi bu mu?" diye çekinerek soruyor Yusuf.

"Evet. Ne olmasını bekliyordun?"

Sert mi çıktı biraz? Zaten gariban oğlan!

Anahtarını alıp odasına yollanmaya hazırlanan Yusuf'un arkasından sesleniyor Recep.

"Bu gece fasıl var pansiyonda. Bekleriz."

Duyduklarını algılayamamış gibi, donuk bir bakış fırlatıyor Yusuf. Recep'in, çamurlu ayakkabılarının üzerinde yakaladığı bakışlarına sessiz bir yanıt veriyor gözleriyle.

"Ne fasılı be abi!" diyor içinden. "Ayakkabılarıma bulaşanın ne olduğunu sor önce. Mezarlık çamuru o! Bilir misin nasıldır mezarlık çamuru? Aha böyle boz renkli, sıvaşık, yapışkan... Orada yatanların ruhlarından kopan haykırışlarla ağdalaşmış. Bugün ablamı gömdüm ben! Kürek kürek toprak attım üstüne. Can'ımın yarısı orada kaldı... Sen hiç ablanı gömdün mü abi?"

"Açılırsın, ferahlarsın," diye ısrar ediyor Recep. Yusuf'un iç dünyasında yaşadıklarının tanığıymış da onu avutmaya çalışıyormuş gibi.

"Küfür mü ediyon be abim!" diyecekken, "Bilmem ki..." dökülüyor ağzından. Başını önüne eğip odasına doğru yürüyor.

Haşim

Orta yaşların eşiğinde, iyi giyimli, hareketleri ölçülü, eskilerin "tam bir İstanbul beyefendisi" diye tabir ettikleri cinsten, üstelik de oldukça yakışıklı bir adam. Ancak, taşıdığı bu farklı özellikleri yadsırcasına karamsar bir ifade var üzerinde. Omuzları çökmüş, solgun yüzü mum gibi donup kalmış.

Boş gözlerle bir süre çevresini süzdükten sonra, "Boş odan var mı arkadaşım?" diye soruyor Recep'e. "Bir gece kalacağım," diye ekliyor.

Recep'in istemesini beklemeden nüfus cüzdanını çıkarıp bankonun üzerine koyuyor. Gerek yok aslında, kayıt falan tutmuyor Recep ama, bu özel müşterisine ayıp olmasın diye önündeki deftere kaydediyor yeni konuğunun adını.

Haşim Artukoğlu!

Bu ismin, sahibinin ağırbaşlı kalıbıyla nasıl da uyuştuğunu düşünüyor Recep. Nezaketle yol gösteriyor konuğuna. Koridorun başında, sağ koldaki büyük odaya doğru yürüyorlar beraberce.

Kapıyı açıp, "Buyurun," diyor Recep, buralara nadiren düşen özel müşterilerine gösterdiği abartılı saygıyla. Tam dönüp çıkacakken, "Bu gece fasıl var pansiyonumuzda," diyor. "Katılımınız zenginlik katar bizlere..."

Anlamamış gibi bakıyor Haşim Artukoğlu. Fasıl... Şarkılar... Ne kadar uzağındalar şu anda!

"Tam da adamını buldun!" diye geçiriyor içinden. İstemsizce ekşiyiveriyor suratı...

Nizam

Gençlik çağını çoktan geride bırakmış, düzgün giyimli, temiz yüzlü, efendiden bir adam. Ürkek, acemi adımlarla içeri giriyor. Daha önce benzer ortamlarda bulunmadığı her halinden belli. Şu anda pansiyon ya da otel yerine, hastaneye ihtiyaç duyduğu da apaçık ortada.

Yüzü gözü yara bere içinde. Kaşının üstündeki beyaz sargı bezinin orta yeri, yatağında duramayıp dışarı taşan kanla kırmızıya boyanmış. Bir kolu, bileğinden dirseğine, sargı beziyle gelişigüzel sarılmış. Diğer elinde küçük bir el çantası.

"Adım Nizam," diyor. "Nizam Hatipoğlu. Birkaç günlüğüne... kalabileceğim bir yer arıyorum..."

Kesik kesik konuşuyor. Nefesi kesiliyor konuşurken.

Karşısında duran adamı tepeden tırnağa dikkatle inceliyor Recep. Ama gözucuyla. Fotoğrafını çekip beynine nakşeder gibi. Yıldırım hızıyla, çaktırmadan...

İster istemez, "Onu kim bu hale getirdi?" sorusu burgulanıyor kafasında. Olgun yaşta, olgun görünümlü, akıllı uslu bir adam! Kaza falan değil... Resmen dayak yemiş! Karşıdan baktı mı, şıp diye anlar Recep. Neler görmüş bu gözler, neler geçirmiş...

Canından can verdiği öz evladından dayak yiyenler mi istersin, dost eliyle hırpalanıp ahbap kazığına oturtulanlar mı... Ve tabii karılarının evire çevire dövdüğü, ama erkekliklerine toz kondurmamak için kan kusup, "Kızılcık şerbeti içtim," diyenler ya da utanma belası ser verip sır vermeyen âdemoğulları...

Nizam Bey'in hikâyesi bunların hangisiyle örtüşüyor acep? Recep, bunca yıllık deneyimine dayanarak her şeyine iddiaya girebilir ki, bu amcabey karısı tarafından iyice bi silkelenmiş. Kibarlığı bir yana bırakmak gerekirse, eşek sudan gelene kadar acımasızca dövülmüş zavallıcık...

Yaptığı işin inceliklerini iyi bilir Recep. Gördüklerini görmezden, duyduklarını duymazdan gelmese, bunca yıldır sürdürebilir miydi pansiyonculuğu?

Neyse ne, madem kalkıp hastane yerine buraya gelmiş, gerekeni yapmak Recep'in boynunun borcu. Nizam'ın fiziksel hırpalanmışlığını yok sayarak, "Tabii efendim," diyor. "Yerimiz var."

Duvara asılı panonun üzerindeki anahtarlardan birini alıp yol göstermeye hazırlanırken, "Odalarda seccade var mı?" diye soruyor Nizam.

"Olmaz mı?" diyerek eğilip bankonun altındaki dolaptan beyaz, köşesi nakışlı bir bohça çıkarıyor Recep. "Odalara koymuyoruz ama, isteyenler için hazır bulunduruyoruz. Seccade, tespih, takke... Hepsi içinde."

Bir an kararsız kalıp devam ediyor. "Pansuman falan gerekirse... yaparız icabında. Elimizden gelir evvel Allah."

"Sağ ol evladım, gerekirse rica ederim."

Koridorun hemen başında, girişe en yakın odayı açıyor Recep. "Bu gece fasıl var pansiyonumuzda," diyor mahcup bir tavırla. Bu haliyle gelemese de, söylemeye mecbur hissediyor kendini.

Nizam ise, yarasını beresini öne sürmüyor mazeret olarak, farklı yönden geri çeviriyor daveti.

"Bizden geçti artık evladım. Çalgı, çengi... İçki de vardır Allah bilir..."

"Var tabii. Ama içki içmeyen konuklarımız için ayran ve meyve suyu da bulunduruyoruz. Şeref verirseniz seviniriz."

Recep'in arkasından, "Ah deli çocuk!" diye içini çekiyor Nizam. "Darmadağın olmuş suratımı, bin parçaya ayrılmış ruhumu doğrultayım da, fasıl gecelerinde boy göstermem eksik kalsın..."

Vedat

"Boş oda var mı?" diye kapıdan sesleniyor.

Eşikte kararsızca durmuş, içeriye girmekten çok, dışarıda kalmaya meyilli genç adama, "İçeri buyrun lütfen," diyor Recep. "Yerimiz var."

Recep'in dikkatini ilk çeken, adamın aşırı zayıflığı. Yüzü, iki yandan bastırılmış gibi ipince. Avurtları içine çökmüş. Ama omuzlarına kadar inen kıvırcık simsiyah saçları, ateş gibi yanan kömür karası gözleriyle bir olup dengeyi sağlayarak, bütün fiziki açıklarını kapatıyor.

Üstünde haki renkte mont kaban arası bir parka, ayağında tabanı kalın botlar var. El örgüsü, kalın bir atkı atmış boynuna. Bakışları dalgın, kendisi burada da aklı başka yerlerde sanki.

"Tek geceliğine," diyor nüfus cüzdanını çıkarıp bankonun üzerine koyarken.

Önündeki küçük bloknota müşterisinin yalnız adını kaydediyor Recep: Vedat!

"Bu gece fasıl var pansiyonumuzda," diyor. "Canlı müzik! Katılırsanız seviniriz."

Kaşları çatılıyor Vedat'ın. Kafasını dinlemeye gelmişken, nereden çıktı şimdi bu fasıl hikâyesi?

Recep'in gülen yüzü, ters bir şey söylemesini engelleyince, söyleyeceklerini yumuşatmak ister gibi hafifçe gülümseyerek, *"Protest müzik* de yapar mı sizin o canlı müzik sunacak adamlarınız?" diyor.

"Anlamadım o dediğini abi," diyor Recep. "Ama ne istersen çalar bizimkiler. "Türk sanat müziği... şarkı... türkü..."

"Gelebileceğimi sanmıyorum," diye kesiyor Vedat. "Fasıl benim tarzım değil..."

Raşit

Kapının önünde beliren şu sevimli ihtiyar, geçen yıl pansiyona gelip Recep'le uzun uzun dertleşen adam değil mi? Evet evet, o! Raşit amca! Çok iyi hatırlıyor Raşit, aynı şimdiki gibi, yüzünde kırık dökük bir ifadeyle içeriye girmiş, gecenin geç saatlerine kadar bahçede oturmuşlar, kimselere açamadığı sırlarını Recep'le paylaşmıştı Raşit.

Yazılarını hayranlıkla okuduğu, ünlü bir gazeteci kadından söz etmişti galiba... Konuştukça, söz konusu olan hayranlık boyutlarının, sınırlarını zorlayıp bambaşka alanlara kaydığını sezinlemişti Recep. Raşit amcanın kendisi bile farkında değildi belki ya da kesin tanıyı koyar ve bunu dile getirirse işinin iyice zorlaşacağını düşündüğünden, masum yüzü, hülyalı gözleriyle, değer verdiği insandan ilgi görememekten yakınıyordu.

Raşit amcanın saatlerce sözü dolandırıp anlattığı, daha doğrusu anlatamadığı büyük derdi şıp diye çözüvermişti Recep. Resmen âşıktı Raşit amca! Yaşa başa bakmazdı gönül işleri, amansız bir illet gibi gelir, yakasına yapışıverirdi insanın. Ondan sonra da sök sökebilirsen...

"Raşit amca?"

"Benim ya... Geldim gene."

"İyi ettin," diyor Recep. "Kalıcı mısın? Oda hazırlayayım mı sana?"

"Bilmem ki," diyor Raşit. "Öylesine uğrayayım demiştim. Ama kalabilirim de. Tekirdağ'a gitti bizimki, kızın yanına. Yalnızım."

İçindeki yalnızlığın, ıssızlığın, evdeki tek başınalıktan kaynaklanmadığını tahmin edebiliyor Recep.

"İyi misin sen Raşit amca?" diyor.

"Değilim!" diyor Raşit haykırır gibi. "Geçen seneden de beter durumdayım evlat. Dertleşmeye geldim seninle."

"Başımla beraber!" diyerek gülüyor Recep. "Dertleşiriz de, eyleşiriz de. Bu gece fasıl da var pansiyonda. Tam sana göre. Efkâr dağıtmak için birebir..."

HİCAZ MAKAMI

Her şey kıvamında, istediği gibi olmuş Recep'in. Ellerine sağlık Gülbeyaz'ın. Emrah'la beraber zeytinyağlı, tatlı, tuzlu ne varsa kutularından çıkarıp servis tabaklarına boşaltıyorlar. Yaprak sarmaları incecik. Recep söylemediği halde, lahana da sarmış Gülbeyaz. Arnavutciğeri, otlar, salatalar, humuslar, favalar, yoğurtlu patlıcan ezmeleri... Sıcakları da hazırlamış ama pişirmemiş. Köfte yoğurmuş, şekillendirmiş, tepsiye dizip sarıp sarmalamış. Kırmızı et yemeyenler için tavuk terbiyelemiş. Kızartması, ızgaraya ya da fırına sürülerek servis edilmesi Emrah'a düşecek. Çünkü Recep o saatlerde bütün ilgisini konuklarına verecek. Emrah'ın pişirip servise hazır hale getirdiği tabakları, pansiyonun getir götür işlerini yapan Nuri taşıyacak masalara.

Eleştirel bir gözle son kez salona bakıyor Recep... Hiçbir kusur bulamıyor. İçten içe kutluyor kendini.

Masaların hemen bitiminde, fasıl heyetinin oturacağı sandalyeler yarım ay şeklinde yerleştirilmiş. Vecihi Bey ve saz arkadaşları son provalarını yapıyorlar.

"Hicaz makamıyla başlayacağız," diyor Vecihi Bey. "Musiki ile tedavide en çok kullanılan makamların başında gelir. Hem hüzün, hem de neşe vardır içinde."

İzleyecekler arasında bu tür bir tedaviye ihtiyacı olan kimler var diye düşünüyor Recep. "Başta ben!" diye gülüyor içinden. O gün son gelen konuklar canlanıyor gözünde... Hepsinin de ruhen ağır yaralı olduklarından adı gibi emin Recep. Bakalım o yaralı ruhlara sağaltıcı bir etkisi olacak mı hicaz makamının...

Saat 20.00'de demişlerdi davetiyelerde. Aşağı yukarı yarım saat var programın başlamasına ama, kimse yok görünürde. Paniğe kapılıyor Recep. Tek tek kapılarını çalmaya başlıyor konuklarının.

Birkaç gün önce Ankara'dan gelip pansiyona yerleşen altı kişilik grupta sorun yok, salona inmeye hazırlanıyorlar. Sorun, bugün öğleden sonra ve akşamüzeri pansiyonun kadrosuna katılan çiçeği burnunda konuklarda.

Önce Raşit'in kapısını çalıyor Recep.

"Hazırım," diyor Raşit çocuksu bir hevesle. "Saatin dolmasını bekliyorum. İlk gelen ben olmayayım diye..."

Sonra Yusuf... Ağlamış mı ne, gözleri kıpkırmızı oğlanın. Hayır, gelmek istemiyor. Yadırgayacağı bir ortamda bulunmaktan ve o ortamda kendisini yadırgamalarından çekiniyor.

"Biz bizeyiz," diyor Recep. "Kimse kimseyle ilgilenmez böyle gecelerde. Hadi, yüzünü yıka, kalk gel. İtiraz istemem!"

* * *

Vedat'sa, tanımadığı insanların arasında, tarzı olmayan bir müziği dinlemeye hevesli görünmüyor. Yalnızlığıyla barışık, "Böyle iyiyim ben," diyor.

"Hele bir gelin," diye üsteliyor Recep. "Hoşunuza gitmezse, uzak yer değil, kalkar odanıza dönersiniz."

Haşim Artukoğlu'nun kapısının önünde, cesaret toplamak ister gibi birkaç kez yutkunuyor Recep. Ona da benzer şeyler söyleyecek ama, ille de gel diye ısrarcı olması yakışık almaz.

"İyi akşamlar," diyor kapının aralığında beliren Haşim'e. "Rahatsız ettimse kusura bakmayın. Fasıl gecemizi hatırlatmak istemiştim de..."

"Teşekkür ederim," diyor Haşim. Yüz ifadesi, Recep'in düşündüğünün tersine son derece yumuşak. Ama bakışları, pansiyondan içeri ilk girdiğindeki gibi ifadesiz, dalgın ve yorgun. Hayır, geceye katılmayı düşünmüyor. Zahmet edip kapısına kadar geldiği için bir kez daha teşekkür ediyor Recep'e.

Yılmıyor Recep. "Uzun süre kalmanız gerekmiyor," diyerek boynunu büküyor. "Hoşunuza gitmezse, yemeğinizi yiyip odanıza dönebilirsiniz."

Haşim ilk kez görüyormuş gibi bakıyor Recep'e. Onun ricacı, boynu bükük haline... Buruk bir gülüş yayılıyor yüzüne.

"Dediğin gibi olsun," diyor. "Birazdan inerim aşağıya."

Recep'i en çok uğraştıran Nizam oluyor, epey dil dökmesi gerekiyor razı edebilmek için.

"İçkili gecede ne işim var benim!" diye kesin tavrını koyuyor Nizam.

"Benim anneannem de, babam da hacıydı," diyor Recep. "Ama evlatlarının, hatta torunlarının kadeh kaldırdıkları kutlama sofralarının başköşesinde oturmaktan gocunmazlardı. O sofrada oturdular diye hacılıklarından, inançlarından ne kaybettiler? Hiç! İçenin de, içmeyenin de hem sevabı, hem günahı kendilerine değil midir?"

"Kimse ilgilendirmez beni. Kendime bakarım ben!"

"Bakın Nizam Bey, ben de içmiyorum. En uçtaki masada beraberce otururuz sizinle. Meyve suyu, ayran içer, en az diğerleri kadar eğleniriz biz de."

Şaşırıyor Nizam. Böyle çalgılı çengili bir geceyi hazırlayan kişinin içki içmemesi garibine gidiyor. "Sen neden içmiyorsun?" diye sormaktan kendini alamıyor.

"Eski bir hikâye," derken sesinin titremesine engel olamıyor Recep. "Dokunuyor bana," diyor. "İçmemem gerek."

Sonra da durgun, dalgın halinden sıyrılıp soruyor. "Tamam mı, beni yalnız bırakmayacaksınız, öyle değil mi?"

* * *

Hayret, tek bir fire yok davetli listesinde! Pansiyonda kalan herkes orada. Yanı sıra, dışardan gelenler de var. Vecihi Bey'in yeğeni Emre'yle onun arkadaşı Murat, Recep'in özel davetlileri sıfatıyla, U şeklindeki masanın sağ başında oturuyorlar. Haşim Artukoğlu da onların masasında. Recep diğer uçta oturuyor. Nizam'la beraber.

Raşit biraz gerilerde kalmayı tercih etmiş. Fazla göz önünde olmayı istememiş belli ki. Vedat'la Yusuf, arka tarafta bir köşeye çekilmiş, kendi âlemlerine dalmışlar. Karşılıklı oturuyorlar ama, en ufacık bir iletişim yok aralarında.

Pansiyona daha önce gelen eski müşterilerse, daha neşeli bir paylaşım içindeler. Birkaç günlük kıdem farkıyla, daha önce kahvaltı ve yemeklerde karşılaşıp tanışmış olmanın rahatlığı var üstlerinde.

Vecihi'nin uduyla yaptığı hicaz taksimiyle program başlıyor. Ancak, kulaklarına dolan ahenkli sesler, yemek müziği gibi geliyor salondakilere. Özenle hazırlanmış mezeleri tabaklarına alıp yemeye, kadehlerine doldurulan içkileri içmeye koyuluyorlar. İçki tercihini rakıdan yana kullanıyor çoğu. Vecihi'nin önündeki sehpanın üzerinde de bol buzlu bir rakı kadehi duruyor.

Grup halinde oturan Ankaralı konuklardan yalnız ikisi şarabı tercih etmiş. Recep'in elindeki vişne suyu dolu kadehi görenler, onun da şarap içtiğini sanıyorlar. Oysa o, Nizam'a da söylediği gibi, tek yudum içki koymuyor ağzına. Ama kadehini şarap niyetine havaya kaldırıp konuklarını selamlamaktan da geri kalmıyor.

Yavaş yavaş ısınıyor ortam. Hicaz taksiminin ardından aynı makamda, hicaz şarkılara geçiyor fasıl heyeti.

Nideyim sahn-ı çemen seyrini cânânım yok
Bir yanımca salınan serv-i hırâmânım yok
Yâr, yâr kurbanın olam yâr
Dost, dost hayranın olam dost

Eski dilde yazılmış şarkının izleyenleri sıkabileceğini düşünmekle hata ettiğini görüyor Recep. Ankara'dan iş takibi için İstanbul'a gelen ve Âdemoğlu Pansiyon'da üçüncü gününü dolduran Adnan'ın başı çektiği grup, bir ağızdan şarkıya eşlik ediyor. İkinci şarkının sözleri ise, orta yaşı aşmış konukları, en zayıf noktalarından yakalıyor.

Dil şâd olacak diye kaç yıl avuttu felek
Saçıma karlar yağmış, boşuna yaz beklemek
Ne bülbül dile geldi, ne de açtı bir çiçek
Saçıma karlar yağmış, boşuna yaz beklemek.

Bir sonraki hicaz şarkıyı ise neredeyse bir ağızdan okuyorlar. Şarkının nağmelerinden kendilerinden izler yakalamış gibi...

Tadı yok sensiz geçen ne baharın ne yazın
Kalmadı tesellisi ne şarkının ne sazın
Sarıldım kadehlere derman olur diyerek
Kalmadı tesellisi ne şarkının ne sazın

HERKESİN BİR HİKÂYESİ VAR

Recep şarkıları can kulağıyla dinlerken, bir yandan da diğer izleyicilerin icra edilen şarkıya verdikleri tepkiyi ölçüyor. Her nağmede, yüreklere işleyen şarkı sözlerinin her bir dizesinde değişen yüz ifadeleri ve bu değişimin altında yatan nedenler...

Çok iyi biliyor Recep, fasıl bahanesiyle orada topladığı herkesin ayrı bir hikâyesi var. Açık açık anlatanlar ya da ima yoluyla dışa vuranlar oluyor, ama ağızlarını mühürleyip hikâyelerini sır gibi saklayanlar çoğunlukta. İşte bu noktada devreye giriyor Recep!

Tek kişilik bir oyun oynuyor. Uzman bir psikiyatr gibi, mercek altına aldığı kişinin beden dilini, duruşunu, sesli ya da görsel uyaranlara verdiği tepkileri inceden inceye gözlemliyor. Vardığı sonuçlarla biriktirdiği verileri harmanlayıp, karşısındaki insan için bir hikâye yazıyor. Senaryolar üretiyor o hikâyeye. O kişinin gerçek yaşamından gerçek bir sayfa olmasa da, yaptığı işten büyük keyif alıyor Recep.

Zararsız bir oyun, oynadığı. Kimseler fark etmiyor bile. "Neden ısrarla yüzüme bakıyor bu adam?" diye huylananlar oluyor belki ama, çarçabuk toparlanmasını, en masum haliyle karşısındakinin güvenini kazanmasını başarıyor Recep.

Bu gece farklılaştırmış oyununu. "Seslendirilen şarkı, orada bulunanlardan en çok hangisine yakışıyor?" sorgulamasıyla inceliyor çevresindekileri. Ama Şükrü Tunar'ın hicaz şarkısıyla kafası karışıyor.

Söyleyemem derdimi kimseye derman olmasın diye
İnleyen şu kalbimin sesini ağyar duymasın diye
Sakladım gözyaşımı vefasız o yâr görmesin diye
İnleyen şu kalbimin sesini ağyar duymasın diye

Öyle çok sahiplenen var ki bu şarkıyı! En ağır, en oturaklı görünen Haşim Artukoğlu bile erkek seslerinden oluşan koronun bir parçası olduktan sonra... Aynı masadaki Murat'ın da ondan eksik kalır yanı yok. Belli ki dibine kadar batmışlar dert deryasının. Farklı adreslere yazsalar da, namelerinin içeriği aynı.

Yerinden kalkıp masaları gezmeye başlıyor Recep. Herkese tek tek, istedikleri bir şey olup olmadığını soruyor. Önceden hazırladığı kâğıtları bırakıp istek şarkılarını yazabileceklerini söylüyor. Sıra Murat, Emre, Haşim üçlüsünün masasına geldiğinde, sandalyeyi çekip oturuyor.

"Ne iyi ettiniz de geldiniz," diyor Emre'ye. "Vecihi Bey, bir de misafiriniz olduğunu söyleyince sevindim."

Laf lafı açtıkça Murat'la Emre'nin çocukluk yıllarından bu yana çok yakın arkadaş olduklarını, İstanbul Teknik Üniversitesi'nde aynı bölümde okuduklarını, aslen Bursalı olduklarını, Emre'nin İstanbul'da, Murat'ın Bursa'da yaşadığını öğreniyor Recep.

"Benim geleceğim belliydi, haftalar öncesinden Vecihi da-
yıma söz vermiştim ama, Murat'ınki sürpriz oldu," diyor Emre.
"Canı sıkkındı arkadaşımın. 'Bursa dar geliyor bana!' der de-
mez, 'Atla gel İstanbul'a,' dedim. Trilye'deki Çamlı Kahve'yi bi-
lir misiniz? Harika bir yerdir! Ama oradan dönüşte eli kolu iki
yanına düşer insanın. Hele ağır bir hüzün yükünü sırtlamışsa..."

Kopuk kopuk konuşuyor ama, satır aralarını birleştirince
çok şey anlatıyor karşısındakine. Belli ki Çamlı Kahve dedikleri
o yerde kırık dökük bir şeyler yaşamış Murat.

"İzninizle," diyerek kalkıyor Recep. "Seslendirilmesini iste-
diğiniz bir şarkı var mı?"

Konuşmanın başından beri sürdürdüğü kayıtsız tavrını
bozmuyor Haşim, olumsuz anlamda, başını iki yana sallamakla
yetiniyor. Recep'in, Murat'ın üzerinde sabitlediği ısrarcı bakış-
ları da karşılık bulamıyor. Hayır, istek şarkısı yok Murat'ın.

Emre giriyor araya. "Dertlidir benim kankam," diyor. "Mü-
nir Nurettin Selçuk'a da hayrandır." Uzanıp, masanın üzerin-
deki beyaz kâğıtçıklardan bir tanesini alıyor. Ve bir şarkı adı
yazıyor Murat için.

Kâğıda şöyle bir göz atıp, hicaz makamının nispeten neşeli
şarkılarına geçen ve başka makamlara atlamaya hazırlanan fasıl
heyetine doğru yürüyor Recep. Münir Nurettin Selçuk'un bes-
tesi olan ilk izleyici isteğini Vecihi Bey'in önündeki sehpanın
üzerine koyuyor.

BENİ KÖR KUYULARDA
MERDİVENSİZ BIRAKTIN

Murat

Beni kör kuyularda merdivensiz bıraktın
Denizler ortasında bak yelkensiz bıraktın
Öylesine yıktın ki bütün inançlarımı
Beni bensiz bıraktın, beni sensiz bıraktın

O gün öldüm ben Aslı!
Bana, "Evleniyorum ben Murat!" dediğin an.
Aşk şiirleriyle bize *aşk*'ı yaşatan dost şairimiz Nâzım Hikmet'in dizeleriyle seslendim sana son kez.
İlginç bir benzerlik vardı dizelerle bizim geldiğimiz nokta arasında. Bu, Nâzım Hikmet'in de ölümünden önce yazdığı son şiiriydi.

Gelsene dedi bana
Kalsana dedi bana
Gülsene dedi bana

Geldim
Kaldım
Güldüm
Öldüm

Öl dedin, öldüm Aslı!

Geriye kalan, etten kemikten ibaret, ruhsuz bir bedendi yalnızca. Kaç kez ölmeyi düşündüm, bir bilsen... Senden ayrı kalmak ölümle eşdeğer değil miydi zaten? Ama yapamadım! Ölümden korktuğumdan değil, sana zarar vermek istemediğimden. Ömür boyu üstünde taşıyacağın ağır yükle, o ezinçle yaşayamazdın sen.

O günlerde Cemal Süreya'nın *Biliyorum Sana Giden Yollar Kapalı* şiirini çalışma masamın üzerindeki sümenin arasına yerleştirmiştim. (Hâlâ da aynı yerde duruyor.) Her gün, bıkıp usanmadan defalarca okuyordum.

Biliyorum sana giden yollar kapalı
Üstelik sen de hiçbir zaman sevmedin beni

Ne kadar yakından ve arada uçurum;
İnsanlar, evler, aramızdaki duvarlar gibi

Uyandım uyandım, hep seni düşündüm
Yalnız seni, yalnız senin gözlerini

Sen Bayan Nihayet, sen ölümüm kalımım
Ben artık adam olmam bu derde düşeli

Şimdilerde bir köpek gibi koşuyorum ordan oraya
Yoksa gururlu bir kişiyim aslında, inan ki

Anımsamıyorum yarı dolu bir bardaktan su içtiğimi
Ve içim götürmez kenarından kesilmiş ekmeği

Kaç kez sana uzaktan baktım 5.45 vapurunda
Hangi şarkıyı duysam, bizimçin söylenmiş sanki

Tek yanlı aşk kişiyi nasıl aptallaştırıyor
Nasıl unutmuşum senin bir başkasını sevdiğini

Çocukça ve seni üzen girişimlerim oldu
Bağışla bir daha tekrarlanmaz hiçbiri

Rastlaşmamak için elimden geleni yaparım
Bu öyle pek de kolay değil gerçi...

Alışırım seni yalnız düşlerde okşamaya
Bunun verdiği mutluluk da az değil ki

Çıkar giderim bu kentten daha olmazsa,
Sensizliğin bir adı olur, anlamı olur belki

İnan belli etmem, seni hiç rahatsız etmem,
Son isteğimi de söyleyebilirim şimdi:

Bir geceyarısı yazıyorum bu mektubu
Yalvarırım onu okuma çarşamba günleri

Haksızlık etmek istemem, beni bire bir anlatan şiirin birkaç dizesi sana uymuyor. *Üstelik sen de hiçbir zaman sevmedin beni...* Hayır, senin de beni çok, ama pek çok sevdiğinden emindim. Hatta benden bir adım önde gittiğini, beni, benim seni sevdiğimden de çok sevdiğini düşündüğüm zamanlar oldu. Vazgeçebilecek kadar çok! Asla vazgeçmem demek, bencil yüzüydü aşkın. Benim yaptığım da buydu galiba. Vazgeçebilmek ise yürek isterdi ve zor olanı seçen sendin.

Nasıl unutmuşum senin bir başkasını sevdiğini dizesini de sana uyarlayamam. Bir başkasıyla evlenmiş olsan da, onu, beni sevdiğin kadar sevdiğine, sevebileceğine asla inanmadım.

Şiirle olan dostluğum aynen sürüyor anlayacağın, hatta daha yükseklere tırmandığını söyleyebilirim. Ayrı kaldığımız süre zarfında çok sayıda şiir yazdım senin için. Sayfalar dolusu... Okunmayacak o şiirler! Varlıklarından bile haberdar olmayacaksın. Bana ait onlar. Metin Altıok'un *Sone* şiirinde söylediği gibi, *"İşte ben yıllar yılı yarı ölü yarı diri/ O hiçliğe yazdım bunca ketum şiiri."*

Hiç kızmadım sana, ne yaparsan yap, asla öfke duymadım içimde. Ama bir Amerikalıyla evleneceğini söylediğinde, isyanla dolup taştığımı itiraf etmeliyim. İstanbul'dan Bursa'ya gelememiştin ama, Amerika'ya gelin gitmeyi, oralara yerleşmeyi göze alabiliyordun.

Tümüyle haksız değildin. Kaçacak, sığınacak avuç içi kadar yer bırakmamışlardı sana. Çaresizdin... en az benim kadar.

Sırtımızda taşıdığımız kambur gibi sevdalarımızla, yaşamlarımızı ayrı ayrı sürdürmeye mahkûm edilmiştik. Gene de içimdeki geveze kuşu ve umutlarımı susturamıyordum.

Biliyordum aslında, imkânsız aşktı bizimkisi, ama hükmedemiyordum yüreğime. O yürek seni çok sevmişti Aslı. O yürek talandı, o yürek yangın yeriydi. Bir tek seni istiyordu o yürek... Bir tek seni!

* * *

Ve senden sonrası...

Keyfi bozuktu akşamlarımın, sabahlarımla aram ise şekerrenk, dışardan bakılınca her ne kadar şeker pembesi gibi görülse de. Dağınıklıklarımı toplayamıyordum. Aşkınla mühürlenmişti yüreğim.

Hesaplaşmak! Seninle değil, kendimle... Kaç kez denedim; iyi kötü, olumlu olumsuz bütün duygularımı karşıma alıp yeniden şekillendirmeye çalıştım. Sana duyduğum o iflah olmaz, uslanmaz aşkı kefenlere sarıp ahşap tabutlara yatırdım, yedi kat toprağın altına gömdüm. "Ölü değilim ben, capcanlıyım, yaşıyorum!" diye haykırarak kurtuldu onun için hazırladığım mezarın derinliklerinden. Leylak kokulu yağmurların altında beraberce ıslandık onunla. Bahar çiçeklerinin, güz yapraklarının üzerine adını fısıldarken yanımdaydı.

Aşkının yoksunu, sensizliğinin zenginiydim. Hasret taneleri biriktirdim senin için. Hiçbir zaman veremeyeceğimi bilsem de.

Ne yaptımsa kurtaramadım kendimi Aslım! Yüreğinde tutsak kalmıştı yüreğim. Sense, benim dünyama teklifsizce girip, teklifsizce çıkma hakkını kimden aldıysan, çıkıp gidiverdin gözlerimden. Gözlerini bıraktın bana. Sesini, gülüşünü... Kendini bıraktın yüreğime emanet! Yersiz yurtsuz kalmış sevgileriyle beraber...

Hayat devam ediyordu sözüm ona. Konuşuyordum, gülüyordum ama yaralıydı dilimdeki sözcükler, dudağımın kenarında eğreti duran gülüşler yaralıydı. Yorgundum, güçsüzdüm. Sensizdim...

Bursa Ticaret ve Sanayi Odası'nın düzenlediği şu son seminer var ya... Parlak kariyerinle böyle bir daveti fazlasıyla hak ediyordun zaten ama, itiraf etmeliyim ki, senin adını yönetim kuruluna öneren bendim.

Yıllar sonra, onca yaşanmışlığın ve fırsat bulup da yaşayamadıklarımızın ardından bir kez daha görmek istedim seni. Aylar öncesinden planladım, kare kare canlandırdım kafamda. Ya kabul etmezse ya gelmezse diye sabahı sabah ettim geceler boyu.

Ve işte karşımdaydın! Uzun zamandır yaşadığım en büyük mutluluktu. Seni kollarımla sımsıkı sarıp göğsüme bastırabilmeyi delice isterken, elimden geldiğince doğal, hatta mesafeli davranmaya çabalıyordum. Seminer boyunca karşıt görüşlerle karşına çıkıp canını sıktığımın da farkındaydım. Kim bilir ne yanlış düşünceler geçti aklından...

Etkinlik programındaki Mudanya–Trilye gezisinin proje mimarı da bendim. Şansım yaver gitti, katılımcıların birer ikişer yaşadıkları şehirlere dönmesiyle baş başa kalıverdik seninle. Tam da düşlediğim gibi!

Trilye'deki Çamlı Kahve'ye çıkıp kahve içmek, o anda oluşan doğaçlama bir öneri gibi görünse de, yıllardır düşlerime giren, gerçekleşmesi güç bir hayaldi benim için.

Sık sık çıkıyordum Çamlı Kahve'ye. İçimde biriktirdiğim tortuları taşıyamaz hale geldiğimde, o eşsiz manzara ve dinginlikle sarmalanıp dertlerimi Marmara'nın sırdaş sularına fısıldamak için. Yanımda sen varmışsın gibi, seninle konuşarak...

Bu kez gerçekten yanımdaydın ve öğrencilik günlerimizin anılarıyla yüz yüze gelirken yalnız değildim. Hep bu anı canlandırmıştım kafamda. Sen ve ben... Âşığı olduğum bu yerde, âşığı olduğum kadınla eskide kalmış karelerin yeniden canlanmasına izin verirken, aynı duyguları paylaşıyor, birbirimize sezdirmemeye çalışarak, içimizden yıllar öncesinde yaşadıklarımızı yâd edip sözüm ona havadan sudan konuşuyoruz. Bir zamanlar aşklarına tanıklık etmiş bu mekânda iki âşık değil de, yıllar sonra karşılaşmış iki eski dost gibi...

Evet, dostane başladı sohbetimiz, ama aynı çizgide sürdürmeyi başaramadık. En yakın arkadaşına, Ferda'ya bile benim adımı ağzına alma yasağı getirdiğini söylemiştin ya... Gülerek, söylediklerini sıradanlaştırmaya çabalayarak. Benim de aynı yasağı getirip getirmediğimi sordun üstelik.

Dayanamadım, "O tür yasaklar bana göre değil!" dedim. Gerisi geldi... İtiraflar, yıllar yılı baskılanıp, özgürlüklerine kavuşmak için o anı beklemiş, serbest kalır kalmaz coşkuyla kanatlanıvermiş yasaklı sözcükler...

Adım adım izlemiştim seni. Adını ağzından duyabileceğim herkesle seni konuşmuştum. Senden vazgeçtiğimi mi sanmıştın yoksa? Ne yaşarsam yaşayayım, hep yanımdaydın. Bir an bile ayrılmamıştın benden. Ayrılmayacaktın da!

Hiç kimseye borçlu değildim. Evet, evliydim ama seni düşünmekle, beraber olduğum insana haksızlık yaptığımı düşünmüyordum. Çünkü... ÖNCE SEN VARDIN! Ve hep olacaktın.

Bu kadarla kalacaktı belki. Cep telefonum çalmasaydı... Ve arayan, kızım olmasaydı.

"Kızım! Nasılsın bitanem? Nasılsın ASLIM?"

Konuşurken sendeydi gözüm. Yüz hatlarının bir anda kasılıvermesini, ellerinin titreyişini, bana çevirdiğin bakışlarındaki inanıp inanmamak arasında gidip gelen ezik ifadeyi buruk bir keyifle izledim.

Evet, Aslım dedim kızıma! Her solukta özgürce *Aslım* diye haykırabilmek için. Son nefesimi verirken de dudaklarımda adının olacağından eminsin artık, değil mi?

Söylenecek fazla söz yok artık...
Benim olmadın ama, BEN oldun sen Aslım!
Adın hep bende ve benimle yaşayacak.
Şairin dediği gibi...

bir adın kalmalı geriye
bir de o kahreden gurbet
beni affet
KAYBETMEK İÇİN ERKEN;
 SEVMEK İÇİN ÇOK GEÇ...

MAKAMDAN MAKAMA

Murat'ı kör kuyularda merdivensiz bırakan her kimse, fena yakmış adamı diye düşünüyor Recep. Dikkatini çeken, şarkının sözlerinin, en az Murat kadar Haşim'i de etkilediği. İkisi aynı masada, ama bambaşka âlemlere dalmış, düştükleri farklı kuyulardan asla çıkamayacaklarını bilir gibi, kaderlerine razı şarkıya eşlik ediyorlar.

Kürdilihicazkâr makamına geçmişken, aynı makamdan bir başka şarkıyı seslendiriyor fasıl heyeti. Kör kuyulara yolu düşmüşlere nazire yapar gibi.

Avuçlarımda hâlâ sıcaklığın var inan
Unuttum dese dilim, yalan vallahi yalan
Hasretindir içimde hep alev alev yanan
Unuttum dese dilim, yalan billahi yalan

Birbirini kovalıyor şarkılar. Ud, keman, klarnet ya da kanunla yapılan ara taksimleriyle makamdan makama geçiyor fasıl heyeti. Recep istek şarkılarının yazılı olduğu kâğıtları masalardan toplayıp Vecihi Bey'in önüne bırakıyor. O da belli bir sıraya göre hepsini değerlendirmeye çalışıyor. Ama, Vecihi'nin kendi isteklerini ön planda tuttuğunun farkında Recep.

Salondaki en neşeli masadan gelen istekleri sehpanın bir köşesine itip, gözleri yarı kapalı peş peşe iki hicaz şarkı seslendiriyor Vecihi.

Aşkı seninle tattı, hicranla yandı gönül
Evvel coştu taştı da şimdi uslandı gönül
Cevri sefaya kattı, hayli aldandı gönül
Evvel coştu taştı da şimdi uslandı gönül

Öylesine duygulu söylüyor ki şarkıyı, salondakilerin üzerine paylaştırdığı bakışlarını toplayıp, Vecihi Bey'in üzerine çeviriyor Recep. Ne oluyor üstada böyle? Kendisi için çalıp söylüyor sanki.

Artık bu solan bahçede bülbüllere yer yok
Bir yer ki sevenler, sevilenlerden eser yok
Bezminde kadeh kırdığımız sevgililer yok
Bir yer ki sevenler, sevilenlerden eser yok

Vecihi'nin yüzünde, acı çekiyormuş gibi garip bir ifade var. Ağzından çıkan her bir sözde, her nağmede daha belirginleşiyor. Şaşkınlık içinde Recep. Daha önce onu hiç böyle görmemiş.

Bir sonraki şarkıda kesin tanıyı koyuyor Recep. Şu anda Vecihi Bey, izleyenlerden gelen istekleri bir yana bırakmış, kendi hikâyesindeki şarkıları söylüyor...

BİR TATLI TEBESSÜMÜN BİN VUSLATA BEDELDİR

Vecihi

Bir tatlı tebessümün bin vuslata bedeldir
Gözlerin hayat verir aşkın ise eceldir
İnan sevgili sana benden başkası eldir
Gözlerin hayat verir aşkın ise eceldir

Vecihi gibi aklı başında, aile değerlerine önem veren, o güne kadar hiçbir vukuatı olmamış bir adam nasıl olur da yaşça kızlarından bile küçük, tazecik bir genç kıza âşık olabilirdi? Üstelik genç yaşlarında bile, elinde onca fırsat varken, kimselere yan gözle bakmamışken...

İyi bir aile babasıydı Vecihi, ideal bir eşti. Henüz konservatuvar öğrencisiyken tanışmışlardı Nermin'le. Okul bitince de gencecik yaşta evlenivermişlerdi. Tutkulu, delice bir aşk değildi aralarındaki, güçlü bir sevgi bağıydı ve o günlerden bugünlere, evliliklerini uyum içinde sürdürmelerine yetmişti.

Karısını seviyordu Vecihi, otuz yıla varan beraberliklerinde hiç aldatmamıştı Nermin'i. İşi gereği duyguları ve algıları romantizme; aşkı, sevdayı çağrıştıracak doğrudan ya da dolaylı iletilere açık olsa da, gönül kapılarını dış uyaranlara kapalı tutmayı başarmıştı. İstemsizce gözü bir yerlere kaysa, gönlü asla kaymamıştı, buna izin vermemişti Vecihi.

Kızları evlenerek birer torun vermişlerdi. Zamanında uçarılıklar, çapkınlıklar yapmış orta yaş erkekleri bile, "Bu saatten sonra...", "Geçti bizden..." diye başlayan cümleler kurarlarken... Neydi bu başına gelen Vecihi'nin?

Radyonun Türk sanat müziği icra şefliğinden emekli olduğunda, uzunca bir bocalama dönemi yaşamıştı. O zamana kadar avare geçen tek boş günü olmamıştı ki. Kahve köşelerinde oturup pişpirik oynayacak değildi ya.

İlçe belediyelerinden birinin kültür sanat müdürlüğünden gelen teklif, ilaç gibi geldi kıvranışlarına. Belediye bünyesinde, halkın katılımıyla kurulacak Türk sanat müziği korosunun şefliğini yapar mıydı? Eğer kabul ederse, ön elemeyle seçilecek amatör korist adaylarını eğitecekti. Katılımcıların sunum yeterliliği belli bir düzeye ulaştığında da halka açık konserler vereceklerdi.

Hiç düşünmeden teklifi kabul etti Vecihi. Musikiye adanmış bir ömür besteden güfteden, şarkıdan nağmeden kopabilir miydi? Soluksuz kalırdı Vecihi, yaşayamazdı.

Cennetin ortasından alınıp uçsuz bucaksız çöllere atılmış, sonra da mucizevi bir şekilde cennetine geri dönmüştü sanki. Radyodaki çalışma ortamına benzemiyordu belediyedeki işi, amatörlerle çalışacaktı burada. Ama olsun, gönül verdiği uğraşını emekliliğinde de sürdürecekti ya... Bu yaştan sonra daha ne isterdi insan?

Belediye kültür sanat müdürlüğünden birkaç üst düzey yetkiliyle beraber, ön eleme yaptılar önce. Musikiye gönül vermiş her yaştan ve her meslekten kadınlı erkekli adayların sayısını yirmiye indirerek çekirdek kadroyu oluşturdular. Bundan sonrası Vecihi'nin işiydi.

Gündüz çalışan katılımcıların da yararlanabilmesi için akşam saatlerinde, belediyenin kendilerine açtığı tiyatro salonunda çalışacaklardı. İlk dersleri öğrencilerini tanımaya, ses renkleri hakkında fikir sahibi olmaya ve musiki yeteneklerini ölçmeye ayırdı Vecihi.

İlginçti, bu tanışma ve kaynaşma günlerinde hiç dikkatini çekmemişti Saba.

Saba!

Yani o! Vecihi'nin sersemcesine âşık olacağı, adına şiirler yazıp şarkılar besteleyeceği küçük kadın.

Hayır hayır, kadın demek abes olurdu!

Küçücük, naif bir genç kızdı o...

Dikkatini çekmemesi doğaldı. Sade, gösterişsiz bir kızdı Saba. Narin bedeni, kumral düz saçlarının çevrelediği makyajsız yüzü çok güzeldi ama, çarpıcı olduğu söylenemezdi. Ela gözleri, yumuşacık bakışlarıyla hoş denilebilecek sıradan bir kızdı işte.

İlk kez, öğrencilerinden kendi seçtikleri birer şarkıyı seslendirmelerini istediği gün fark etti Saba'yı Vecihi. İlk bakışta değil ama... Şarkıyı söylemeye başladığında, dilinden dökülen her bir sözle değişime uğrayarak, her nağmede duru güzelliğine farklı güzellikler katarak bambaşka bir kişiliğe büründüğünde...

Dügâh makamında bir şarkı seslendirmişti Saba.

* * *

Yine o menekşe gözler aralı
Oya kirpiklerde yaşlar sıralı
Uyu ey gönlümün nazlı meralı

Susun garip kuşlar ötmeyin susun
Yetimler güzeli yavrum uyusun

Uyu yavrum ninni diyeyim sana
Şu mahzun gönlümü salma hicrana
Sen kaldın gidenden hatıra bana

Susun garip kuşlar ötmeyin susun
Yetimler güzeli yavrum uyusun

Duygu işiydi şarkı söylemek. Yürekten yükselip gelirse nağmeler, yüreğine işlerdi karşısındakinin. İşte bunu başarmıştı Saba. Öylesine hissederek okumuştu ki, oradaki herkes fazlasıyla etkilenmişti.

Ama Vecihi, duygu yoğunluğunda hepsinden öndeydi. Şarkının sonlarına doğru gözyaşlarını tutamayan Saba'nın yaşlarla ıslanmış yanaklarına, usul usul titreyen dudaklarına dalıp gitmişti... Bir adım öne doğru boş bir hamle yaptı. Acı çeken, savunmasız küçük bir kız çocuğu misali karşısında duran naif bedene sarılıp avutmak isteğiyle yanıp tutuşuyordu...

O gece Saba için, *"Gözündeki yaşlarla dünyama girdin bugün"* diye başlayan saba makamında bir şarkı besteledi Vecihi. Defalarca üstünden geçti. Mükemmeliyetinden emin olup yatağına uzandığında, şafak sökmek üzereydi.

Olağan bir durumdu, daha önce de benzeri çalışmalar yapmıştı. "Ortaya iyi bir eser çıkarmanın ilk şartı, güçlü bir ilham kaynağının olmasıdır!" düsturuyla yola çıkmış, eserleri-ne ilham olacak öğeleri çevresinde bulamadığında, geniş ha-yal gücü sayesinde –bu da bu işin olmazsa olmazıydı!– kendi ilhamını kendi yaratma yoluna gitmişti. En büyük desteği de hayali sevgililerden almıştı o güne dek. Yazarların, çizerlerin, senaristlerin izlediği de bu yol değil miydi? Âşık olmasan da âşık olduğunu hissederek, hayal ederek, kurgulayarak yazmak, çizmek, bestelemek...

Son bestesinin öncekilerden tek farkı, ilham kaynağının hayali değil, gerçek oluşuydu. Saba! Gencecik, fidan gibi, hayat dolu bir genç kız. Vecihi'nin öğrencisi... Hepsi bu!

Başka ne olabilirdi ki?

Yaptığı işi o kadar doğal görüyordu ki, sabah kahvaltısında karısıyla paylaşmakta hiçbir sakınca görmedi. Korodaki kızlar-dan biri... Sesi çok güzel, ses kalitesi yüksek... Müzik tekniği de iyi. İniş çıkışlarda detone olmuyor. Öyle içten söyledi ki şarkısı-nı... Vecihi'nin son eserine ilham oldu.

Önemsemedi karısı. Kanıksamıştı Vecihi'nin bu tür ko-nuşmalarını. Gözlerini televizyondaki sabah programından ayırmadan çayları tazelerken, bir kulağından girip diğerinden çıktı, Saba adındaki kızın şarkı söylerken gözlerinden inen yaş-ların, kocasının yüreğine saplandı. O yaşların, bestelenen şar-kıyı ateşleyen biricik neden olduğunu da öğrenemedi haliyle...

*

Hayır, Vecihi'nin düşündüğü, daha doğrusu düşünmek is-tediği kadar basit değildi yaşananlar. Tek gecelik bir beste çalış-masıyla katlayıp kenara koyamamıştı Saba meselesini. Gözleri-nin önünden gitmiyordu kızın yüzü. Sesi hep kulaklarındaydı. Koro çalışmasının olduğu günler, çalışmaların başlayacağı akşam saatlerini iple çekiyordu. Ama tiyatro salonunun kapısında bitiriyordu bu saçmalıkları. Neyseki tamamıyla zıvanadan çıkmamıştı henüz, gerektiğinde kendine hükmetmeyi becerebiliyordu.

Öğrencileri arasında ayrım yapmamak prensibinden ödün vermemişti şimdiye dek, bundan sonra da böyle devam edecekti. Korodakilerin hepsine eşit uzaklıkta, hepsine eşit davranıyordu Vecihi. Ders veren bir hocadan çok, arkadaş gibiydi yaklaşımları. Arada bir, çalışmaya başlamadan ya da çalışma aralarında, küçük gruplar halinde kafeteryada oturup çay kahve içen öğrencilerine katılarak sohbetlerini paylaşıyor, bu sayede daha yakından tanıyordu onları.

Saba'nın da aralarında bulunduğu bir grupla çay içerlerken, tek tek özel hayatlarıyla ilgili sorular sormaya başladı. Öğrenim durumları, ne iş yaptıkları, evli ya da bekâr oluşları... Oysa hiç böyle bir alışkanlığı yoktu. Kendine bile itiraf edemese de, Saba hakkında daha geniş bilgi edinmek için böyle bir genelleme yapmıştı.

Sıra kendisine geldiğinde, "Babam, ben çok küçükken ölmüş," dedi Saba. "Annemle yaşıyorum. Açık öğretimin işletme bölümünü bitirdim. Muhasebe bürosunda çalışıyorum."

Söylediği her söz, Vecihi'nin üzerinde farklı bir etki yaratıyordu. Hele, "Babam, ben çok küçükken ölmüş," cümlesi... defalarca yankılandı yüreğinde.

Susun garip kuşlar ötmeyin susun
Yetimler güzeli yavrum uyusun

O gün söylediği şarkının sözleri! Annesi, bu şarkıyı söyleyerek mi uyutmuştu babasız büyüttüğü kızını?

Bir kez daha altüst olmuştu Vecihi, bir kez daha kaynağı meçhul, karşı konulmaz bir güçle Saba'ya doğru çekildiğini hissetmişti.

Günden güne başkalaşıyordu Vecihi, öyle ki kendisi bile bu yeni Vecihi'yi tanımakta güçlük çekiyordu. Aynadaki yansıması bile değişmişti. Bir başka bakıyordu gözleri. Bakışları dirileşmiş, sihirli bir değnek dokunmuş gibi capcanlı bir ifade gelip oturmuştu yüzüne.

Tüm çabalarına karşın bir türlü veremediği kiloları eriyip giderken, en az on yaşı da beraberinde alıp götürmüştü. Eskiye göre çok daha genç ve dinç görünüyordu.

Dört ay içinde sekiz kilo vermişti. Hayır, diyet falan yapmamıştı bu kiloları verirken. İç dünyasını mesken tutan o garip heyecan, iştah diye bir şey bırakmamıştı Vecihi'de. Karısı, yemeden içmeden kesilmesinin nedenini çözemese de, sağlık sorunundan kaynaklanmadığını bildiğinden, fazlaca üstünde durmamıştı.

Ancak, asıl büyük değişim dış görünümünden çok, amansız depremlerle sarsılan iç dünyasındaydı. Sevinçlerini, üzüntülerini, duygusallığını en üst sınırlarda yaşıyor; hüznün zirvelerinde gözleri dolu dolu olmuşken, yüksek perdeden kahkahalarla ortalığı çınlatabiliyordu.

Saba yüzündendi hepsi! O küçücük kız, seramik hamuru gibi yoğurup yepyeni bir kalıba dökmüş, yeniden şekillendirmişti Vecihi'yi. Sonra da içine işlemiş, bedeninin, ruhunun, duygularının, düşüncelerinin hâkimi, yöneteni, sahibi olmuştu.

İçi titriyordu ona bakarken. Kalp atışları hızlanıyor, dili damağı birbirine yapışıyor, söyleyeceği sözü unutabiliyordu.

Yüreğindeki kıvılcımlanmayı ilk kez hisseden genç bir delikanlıdan farkı yoktu. Daha önce yaşamadığı için bu konuda deneyimsizdi ama, içinde bulunduğu halin ne olduğunu çok iyi biliyordu Vecihi. Aşk'tı içini kavuran duygunun adı! Ama galiba biraz geç çalmıştı kapısını...

Baharın gelişiyle beraber, çalışmalarını hızlandırdılar. *Bahar Konseri* adı altında ilk konserlerini vermeye hazırlanıyorlardı. Koro halinde söylenecek şarkıların yanı sıra solo söylenecek şarkıların ve solistlerin seçimi, belediyenin kültür sanat müdürlüğüyle beraber saptadıkları giysilerin dikilip hazırlanması ve titizlikle yinelenen provalar...

Erkekler smokin giyecekler di. Kadınlarsa yarısı beyaz, yarısı uçuk pembe tuvaletlerle sahneye çıkacak, birer bahar müjdecisi gibi selamlayacaklardı izleyenleri.

Önüne konulan modellere gözucuyla baktı Vecihi. Giysilerle ilgilenmek onun işi değildi. Ama pembeli beyazlı tuvaletlerden birinin içine Saba'yı yerleştirdiğinde, uzaklara daldı gitti gözleri... Bahar dalı gibi olacaktı o gece Saba. Çiçeğe evrilecek kapalı bir gül goncası, doğaya uyanmayı bekleyen pembe beyaz bir bahar tomurcuğu...

O an kararını verdi, vazgeçecekti bu sevdadan! Her ne kadar yüreğine hükmedemese de, iradesiyle altından kalkacaktı bu ağır yükün.

Korodakiler, provaların bitiminde hocalarından bir şarkı dinlemeyi âdet haline getirmişlerdi. Yorgunluklarının üzerine iyi geliyordu. Vecihi de öğrencilerini kırmıyor, udu eşliğinde bazen onların istediği, bazen de gönlünden geçen bir eseri seslendiriyordu.

Prova boyunca kendi içsesiyle mücadele etmişti o gün. Beyni, "Vazgeçmelisin," derken yüreği isyan ediyor, duygularını öne çıkararak, mantığına meydan okuyordu. Udunu eline aldı, kırık bir sesle şarkıya geçti. İkiye bölünmüş kararsız ruh haliyle dinleyenlere değil de kendisine hitap ediyor gibiydi.

Bana nasıl vazgeç dersin, gönül senden vazgeçer mi?
Güneşsiz bir gök altında kış geçer mi, yaz geçer mi?
Okuduğum dua sensin, kalp ağrıma deva sensin
Kokladığım hava sensin, gönül senden vazgeçer mi

Şarkıyı bitirip başını kaldırdığında, nasıl olduysa Saba'nın sıcacık bakışlarıyla buluşuverdi gözleri. Dile getiremediklerini bakışlarına yüklemiş, bir şeyler anlatmak ister gibi Vecihi'ye bakıyordu Saba.

Yoksa... o da?

Hayır, olmazdı öyle şey! Gözlerini yere indirdi Vecihi, yanılmıştı mutlaka.

O gece uzun uzun düşündü. Saba da ona karşı bir şeyler hissediyor olabilir miydi? Neden olmasın? Şarkılarla, nağmelerle duygusallığın özgürce saltanatını sürdürdüğü bir ortamda her şey mümkündü.

Babalarını küçük yaşta kaybeden ya da baba kız ilişkileri iyi olamayan kadınların, kendilerinden yaşça büyük erkekleri tercih ettiklerini duymuştu Vecihi. Saba da farkında olmadan –ya da bilerek– yaşamındaki eksikliği Vecihi'ye yakın durarak gidermeye çalışıyor olamaz mıydı?

Birbiriyle örtüşmeyen zıt düşünceler ve varsayımlarla kendi kendini yiyip bitirmiş, ihtimal ve faraziyeler arasında sıkışıp kalmaktan yorgun düşmüştü Vecihi. Aldığı uygulanabilirliği güç kararları ölçüp tartarken, kanepenin üzerinde huzursuz bir uykuya dalıverdi.

O günkü provada, bir önceki gece kafasına üşüşen, bir türlü açıklığa kavuşturamadığı pek çok sorunun yanıtını buldu Vecihi. Saba'ya şöyle bir bakmak, bütün düğümleri çözmeye yetmişti. Dili konuşmuyordu ama gözleri, duruşu, bakışı çok şey anlatıyordu Saba'nın.

"Kıyamam sana," diye geçirdi içinden Vecihi. Küçük üveyik kuşunun yüreği de havalanmıştı demek... Provanın bitiminde, öğrencilerinden gelen istekleri dikkate almadan, kendi seçtiği şarkıyı seslendirdi Vecihi.

Ben gamlı hazan, sense bahar, dinle de vazgeç
Sen kendine kendin gibi bir taze bahar seç
Olmaz meleğim böyle bir aşk, bende vakit geç
Sen kendine kendin gibi bir taze bahar seç

Udunu kucağından bırakır bırakmaz Saba'ya çevirdi gözlerini. Vermek istediği mesaj yerine ulaşmış mıydı?

Rüzgârla örselenmiş narin bir gül yaprağı gibi soluvermişti Saba'nın yüzü. Gözleri dolmuş, sabit bakışlarını kaçırmadan sitemle bakıyordu Vecihi'ye. Affedilmez bir suçun failiymiş gibi.

Başını önüne eğdi. Haklıydı Saba, henüz filizlenme aşamasındaki o naif sevdayı acımasızca katletmişti Vecihi...

Adı gibi bahardan izler taşıyan *Bahar Konseri*, umulanın çok üstünde ilgi gördü, beğenildi, alkışlandı. Gecenin mimarı olarak takdim edilen Vecihi'ye onur plaketi verildi, gösterdiği başarı övgülerle taçlandırıldı.

Konserin ve ödül töreninin ardından, izleyenlerle beraber kokteyl salonuna geçtiler. Vecihi, belediye başkanıyla eşinin kutlamalarını kabul ederken, korodaki erkek seslerinden Alper yanlarına gelerek, grup halinde fotoğraf çektirmek istediklerini söyledi.

Birkaç poz fotoğraf... Emeklerinin karşılığını almış, mutlulukla gülümseyen yüzler... Ve bu mutluluk tablosunun ortasında mutsuz bir adam: Vecihi!

Saba onun sıkıntılı halini sezmiş de, yüzünü güldürmeyi görev edinmiş gibi yanına gelip hafifçe koluna dokundu.

"Sizi annemle tanıştırayım."

Vecihi'nin gözleri, annenin üzerinden aşıp, Saba'nın arkasında duran yakışıklı gence takıldı.

"Ve Eren," diyerek, Vecihi'yi fazla merakta bırakmadı Saba.

Kim olduğunu açıklamasına gerek yoktu. Belliydi işte. Annesinin yanında beraber olabildiklerine göre, ciddi bir ilişki içindeydiler.

"Yanıldın oğlum!" diye söylendi içinden. Duygularının karşılıksız olmadığını düşünmek aptallıktı. Kim bilir ne zamandır sürüyordu ilişkileri...

Saba'nın yerine Eren verdi bu soruların yanıtını.

"Size çok şey borçluyum Vecihi Bey," dedi. "Uzun zamandır tanıyorduk birbirimizi ama bir türlü razı edemiyordum Saba'yı. İki hafta öncesine kadar inatla direndi. Sizin sayenizde evet dedi sonunda."

"Şarkıların sayesinde," diye mırıldandı Saba. "Büyülü şarkılar dinletti bana hocam."

Şaka gibi algılanmıştı Saba'nın sözleri. Anne ile Eren gülüştüler.

Ben gamlı hazan sense bahar, dinle de vazgeç
Sen kendine kendin gibi bir taze bahar seç

Dinlemiş ve vazgeçmişti demek Saba. Vecihi'nin isteğini yerine getirdiğini kanıtlamak için de, seçtiği *taze bahar*'ı getirip tanıştırmıştı üstelik.

İstediği bu değil miydi Vecihi'nin? Düşünüp taşınıp karar verdiği *en doğru* son! İyi de, içindeki bu dayanılmaz sızı neyin nesiydi?

Birden geniş bir gülümseme yayıldı yüzüne. Cılız bir sevinç... Madem şarkının o malum sözleri Saba'nın üzerinde bu derece etkili olmuştu, aralarında dillendirilmemiş, karşılıklı bir şeylerin yaşandığının kanıtı değil miydi bu?

Küçücük bir avuntuydu belki ama, bu kadarı da yeterdi Vecihi'ye. Hepten karşılıksız bir aşk değildi onunki. Karınca kararınca karşılık görmüş ama, mantığa, aklıselime yenik düşmüştü.

Pişman değildi. Ve hâlâ körkütük âşıktı. Ayrılıklarla güçlenir, imkânsızlıklarla beslenirdi aşk. Yeni bestelere susamış bir bestekâr için bundan daha iyi bir ilham kaynağı olabilir miydi?

İlk o gece gitti Âdemoğlu Pansiyon'a Vecihi. Arka bahçeye bakan sakin bir odaya yerleşti. Elinde udu, yüreğinde aşkı, birbirinden güzel besteler yaptı orada. Duygularını notalara döktü, özgürce haykırdı aşkını.

Nicedir özlemini çektiği, içi daraldığında gelip kalabileceği güvenli bir sığınak olabilirdi burası...

Oldu da! O oda onundu artık. Mecbur kalmadıkça kimselere açmıyordu Recep...

PLATONİK AŞKLAR

Bir tatlı tebessümün bin vuslata bedel olması mümkün mü diye düşünmekten kendini alamıyor Recep. Hele, ikişer üçer günlük bedensel birlikteliklerin *aşk* diye tanımlandığı günümüzde... Uzun soluklu sevdalara sabrı yok artık insanların. Bir tatlı tebessümle yetinmekse her babayiğidin harcı değil! Eskilerde kalmış o platonik aşklar...

Ama söz konusu Vecihi Bey olunca, işler değişiyor tabii. Duygularıyla yaşayan bir gönül adamı o. Eh, yaşını başını da almış, bu saatten sonra gecelik maceralar yaşayacak hali yok. Belli ki tebessümlerle, anlamlı bakışlarla, imalı birkaç sözle avutuyor yüreğini. Ve yaptığı bestelerde, seslendirdiği şarkılarda o platonik aşkları doyasıya yaşıyor...

İcra edilen yeni şarkı da oldukça manidar. Geçmişinde hazin bir ayrılık öyküsü bulunan hiçbir âdemoğlunun dinleyip de etkilenmemesi mümkün değil!

***

Ayrılık yarı ölmekmiş
O bir alevden gömlekmiş
O alevin bağrında dili
Ben böyle sensiz olurum deli
Nerdesin ey sevgili

Hatıralarda uyutmam seni
Seni unutmam, unutmam seni
Ruhumda ılık nefesin
Kulağımı okşar sesin

Benden uzak, benimlesin
Artık hayal mi nesin
Ey sevgili nerdesin
Nerdesin ey sevgili

Aşağı yukarı salondaki herkes, ayrılığın *yarı ölmek* olduğunda hemfikir. Bir ağızdan, haykırırcasına eşlik ediyorlar şarkıya. Ama içlerinde biri var ki, yüzündeki isyan ve kahır karışımı ifadeyle, ayrılığın ölümün yarısı değil, ta kendisi olduğunu anlatıyor sanki: Vedat! Üstelik buraya gelmemek için onca direnmişken, ısrarla, "Fasıl benim tarzım değil," diyerek Recep'in kafasının tasını attırmışken.

Kalkıp yanına gidiyor Recep. Yusuf'la, şu gariban oğlanla karşılıklı oturmuş Vedat. Ama ikisi de tek başınaymış gibi, kendi âlemlerinde yaşıyorlar geceyi. Tek ortak yanları, gözlerindeki kırmızılık. Akamayan yaşlardaki tuzun yakıcılığıyla örselenmiş gözler...

Parkasını çıkarınca, zayıflığı iyiden iyiye ortaya çıkmış Vedat'ın. Hele suratı! Yüz kemiklerinin üzerine deri kaplanmış gibi. Zayıflığından, solukluğundan, çelimsizliğinden, kaç yaşında olduğunu tahmin edemiyor Recep. Tabağındakilere dokunmamış bile. Peş peşe kadehindeki rakıyı yudumluyor. Tüm hıncını ondan almak ister gibi.

"Yemeklerimizi beğenmediniz mi?" diye soruyor Recep.

Suçüstü yakalanmış gibi, "Yoo," diyor Vedat. Peynir tabağındaki yarısı bıçakla kesilmiş peynirle çerez tabağını, küllükteki kuruyemiş kabuklarını gösteriyor. Zorlamalı bir gülüşle, "Bunlar yetiyor bana," diyor.

Recep konukları arasında en uzlaşılmaz gördüğü Vedat'la iletişim kurmanın memnuniyetiyle, "Başka bir istediğiniz var mı?" diye soruyor. "Seslendirilmesini istediğiniz bir şarkı?..."

Olumlu yanıt alacağını hiç sanmıyor Recep. Fasıl müziğinden hazzetmediğini açık açık söyleyen bir adama, nasıl oluysa bir şarkıdan etkilendi diye bir isteği var mı diye sorması bile hata aslında.

Ama, Recep'i şaşırtıyor Vedat. İstek şarkısını yazdığı kâğıdı uzatırken, "Hiç dönmeyecek sevgililer için!" diyor.

Kocaman bir yumruk gelip oturuyor Recep'in boğazına. Dönüşü olmayan yerdeki, hiç dönmeyecek sevgililer... Özlemlerin, umutsuzlukların en koyusuyla anılanlar.

İstek kâğıdını Vecihi Bey'e teslim edip yerine otururken, orada bulunan kaç kişinin, hiç dönmeyecek sevgilisi olduğunu tahmin etmeye çalışıyor. Bir liste yapsa kimlerin adını yazması gerekir?

Kendisini de yazmalı mı? Yok canım, öyle bir sevgilisi hiç olmadı ki Recep'in!

ŞİMDİ UZAKLARDASIN

Vedat

Şimdi uzaklardasın gönül hicranla doldu
Hiç ayrılamam derken kavuşmak hayal oldu
Sevda bahçelerinin çiçekleri hep soldu
Hiç ayrılamam derken kavuşmak hayal oldu

Her akşam yinelenen sahne. Mümkün olsa, elleriyle yedirecek yemeğimi. Sofrayı donatmış gene. Benim sevdiğimi düşündüğü bin bir tat... Yiyemiyorum, ağzımda büyüyor lokmalar. Tabağıma koyduğu yemeğin ancak yarısını ilaç niyetine zorla yutarak masadan kalkıyorum.

"Ellerine sağlık abla."

"Dur bir dakika," diyerek bileğime yapışıyor. "Seninle konuşacaklarım var."

"Yine aynı konuysa..." diye gülüyorum.

"Bu kez farklı," diyor ama değişen bir şey yok. Beni evlendirme çabalarından bir türlü vazgeçmiyor ablam. Kendisi yaşını başını aldı, köşesine çekildi, yuva kurma hayallerini rafa kaldırdı ya... Üzerine titrediği biricik kardeşi de evde kalmış ablasıyla aynı kaderi paylaşsın istemiyor.

Şimdi de apartmana yeni taşınan komşularının kızını kestirmiş gözüne. Öve öve bitiremiyor.

"Gözümün önünde eriyip gitmene dayanamıyorum," diyor. "Bütün arkadaşların evlendi, çoluğa çocuğa karıştı. Daha genç sayılırsın. Neden senin de bir yuvan olmasın?"

"Yapma abla!" diyorum. "Benim gibi bir eylemci eskisine kim kız verir ki?"

O da biliyor benim gibilerin eş ve iş bulmasının kolay olmadığını; teknik üniversite son sınıfta mühendis olmayı düşlerken okuldan atılıp sıradan bir işe, o da rica minnetle kapak atan biri için pek çok kapının kapalı olduğunu...

Geri adım atmıyor gene de. Gözlerini gözlerime dikip, "Şu kızı bir görsen," diyor yalvarırcasına.

Yerimden fırladığım gibi odama gidiyorum. Yatağımın başucundaki komodinin her daim kilitli duran çekmecesini açıyorum. Fotoğraf ve mektup yığınının arasından bir fotoğrafı çekip çıkararak gerisingeriye ablamın yanına dönüyorum.

Benim için elma soymuş. Dilimleyip tabağa dizmiş, odama götürmeye hazırlanıyor. Ardı ardına içtiğim sigaralardan pas tutmuş boğazımı biraz olsun yumuşatsın diye.

Elimdeki fotoğrafı tabağın yanına bırakıyorum.

"Rümeysa!" diyorum usulca.

Şaşkınlık, umut, sevinç, coşku... Yüreğinden taşıp gelen tüm duyguları aynı anda yaşıyor ablam. O, siyah beyaz fotoğrafı incelerken, ben de Rümeysa'nın saçlarına, gülüşüne, uzaksı güzelliğine dalıp gidiyorum.

"Gözleri açık renk galiba," diyor ablam. "Yeşil mi?"

"Hayır, ela."

Daha fazla dayanamayıp, yılların susamışlığıyla, "Hemen gidip isteyelim," diyor.

Başımı sallayarak onaylıyorum. Telefonun yanındaki bloknotun üzerine adresi yazıp uzatıyorum.

"Annesinin adı Süreyya. Süreyya Hanım... Git konuş onunla."

Hiç ikiletmiyor ablam. "Tamam," diyor. "Yarın giderim."

Moda Caddesi'nden girince soldan üçüncü sokak... Verdiğim adresi bulması zor olmuyor ablamın. Ama yirmi yedi numaralı binanın üzerindeki "Süreyya Hanım Apartmanı" yazısı tam bir sürpriz onun için. Varsıl bir ailenin kızını alamam diye eksiklendiğimi, evlenmeyi bu yüzden ertelediğimi düşünüyor.

Beş katlı binanın beşinci katında KİRALIK levhası var. Dördüncü katın, Süreyya Hanımların kapısını çaldığında onu içeriye buyur eden Şaheste Hanım da, kiracı adaylarından biri sanıyor ablamı.

Klasik mobilyalarla döşeli görkemli salon, Süreyya Hanım'ın içeriye girmesiyle aydınlanıyor. Dimdik duran incecik bedeni, ensesinde topladığı kırlaşmış saçları, saygın ve asil duruşuyla pek beğeniyor ablam Süreyya Hanım'ı.

Kadife perdelerin açılmasıyla aydınlanan karşı duvarda Rümeysa'nın büyük boy portresi asılı. Salonun dört bir yanına serpiştirilmiş irili ufaklı gümüş çerçevelerin içindekiler de onun fotoğrafları.

"Kızınız mı?" diye soruyor ablam.

"Evet," diyor Süreyya Hanım. "Rümeysa!"

"Şu anda evde mi?"

"Banyoda," diyor Süreyya Hanım. İçeriye sesleniyor. "Şaheste, söyle Rümeysa'ya, saçlarını kurutmadan dışarıya çıkmasın!"

Seviniyor ablam. Rümeysa banyodan çıkacak, saçlarını kurutacak, sonra da yanlarına gelecek...

"Şaheste kiralık ev için geldiğinizi söyledi," diyerek kendisi için aslolan konuya geçiyor Süreyya Hanım. "Sizin için uygun olur mu bilmem ama, evimiz eşyalı. Rümeysa için döşemiştik o katı. Evlenecek, orada oturacaktı."

"Neden kiraya veriyorsunuz o halde?"

Süreyya Hanım, gözleri Rümeysa'nın tablosuna kilitlenmiş, "Kızımı yitireli on iki yıl oldu," diyor. "Silahlı bir çatışma," diye devam ediyor. "Bir eylemciye gönül vermişti. Oysa ne sağ bilirdi yavrum, ne de sol... Sevdiği gençle beraber, o da ateşli bir eylemci oldu çıktı."

Suçlu gibi başı önünde, gözleri yere çakılı, anlatılanları dinliyor ablam.

"O gün... O silahlı çatışmada eylemci gence siper olmuş Rümeysa! Dünyanın sonuydu bizim için, kıyameti yaşadık onun yokluğunda... Eşimi de Rümeysa'dan üç ay sonra toprağa verdik. Biricik kızının acısına daha fazla dayanamadı."

Ağzını açıp tek söz edemiyor ablam. Sonunda güçlükle, "Çok üzgünüm," diyebiliyor. "Ama, banyoda olduğunu söylemiştiniz."

"Benimki yalnızca bir avuntu," diyor Süreyya Hanım. "Günümü onlarla yaşıyorum. Şimdi banyoda... Giyinip dışarıya çıkacak. Okul dönüşü arkadaşlarıyla buluşacak... Biliyor musunuz, soframızı hâlâ dört tabakla kuruyor Şaheste."

"Ya kiralık ev?"

"Yıllar yılı boş kaldı. Adımımı bile atmadım. Ama, artık yeter diye düşünüyorum. Rümeysa sevdiği gençle evlenmiş, üst katıma yerleşmiş... Bunları hissetmek istiyorum. Rümeysa'nın ayak sesleri, kocasının... Doğmuş ya da doğacak çocuklarının. Masaya bir tabak daha ekleyeceğim, damadım için... Sonra, 'Şaheste,' diyeceğim. 'Çık, Rümeysa'ya söyle kahvaltıya bekliyorum onları. O çok sevdikleri cevizli kekten yaptım.' Ya da 'İşten yorgun dönmüşlerdir. Yemekle uğraşmasınlar. Sofra hazır'..."

"Çok iyi anlıyorum sizi," diyor ablam gözlerinden inen yaşları silerken.

"Bu olanaksız," diyerek karşı çıkıyor Süreyya Hanım. "Beni anlamanız için yaşadıklarımı aynen yaşamanız gerekir."

"Ben de sizinkine benzer bir acıyı yaşadım," diyor ablam. "Aşağı yukarı aynı tarihlerde, gencecik kardeşimi yitirdim..."

"Canım ablam benim, şimdi anladın mı neden evlenemediğimi? Evlenmek bir yana, Rümeysa'dan sonra neden hiç kimseyle beraber olamadığımı?"

"Seni çok iyi anlıyorum, acını aynen paylaşıyorum ama, bunca yıl geçmiş aradan. Hani derler ya... Hayat devam ediyor. Senin de yaşamını kaldığı yerden sürdürmen gerekmez mi?"

"Gerekmez! Toprağa verdiğim, yalnızca onun bedeniydi ablacığım. Ruhu hâlâ benimle... Bedenimin içinde kaldı. Hiç çözülmedik biz, ayrılmaz bir bütünün parçaları oluşumuzu sürdürüyoruz. Beni anlaman zor, biliyorum. Ama inan ki başka çarem yoktu. Onu toprağa verirken iki seçenek vardı karşımda. Ya yaşamıma son verip onunla gidecektim ya da onu bedenimde tutup kaldığımız yerden beraberliğimizi sürdürecektim. İkinci seçeneği yeğledim ben."

"Nasıl bir yaşam biçimi bu?"

"Bir bedende iki kişi diyebilirsin. İki kişilik soluk alıyorum ben. İki kişilik yiyip içiyor, iki kişilik gezip eğleniyorum. İkimizin ortak beğenisine uygun kitaplar okuyorum. Kısacası, iki kişilik yaşıyorum ben. Dışardan bakanlar anlamıyor bile..."

"Nereye kadar böyle gidecek bu durum?"

"Benden umudunu kes be güzel ablam! Sonsuza kadar desem üzüleceksin, boynun bükülecek. Ama gerçek olan bu... Kollarımda öldü Rümeysa! Bana siper olmak için, benim uğruma... Onun son nefesini verdiği bu kollar, bir başkasını sarabilir mi hiç?"

Umutlarının tükendiği noktada çaresizlikle kıvranıyor ablam. Şu iki gün içinde yaşadıklarını özümseyebilmesi için yalnız kalması gerekiyor. Benim de... Birbirimize dert ortağı olmaktan çok uzağız şu an.

İkimiz için de uzun olacak bu gece. Askıdan kabanımı alıp sokağın ıssız karanlığına atıyorum kendimi...

DÖNÜLMEZ AKŞAMIN UFKUNDAYIZ

Uhrevi âlemin kapılarını aralarken, dünyevi kaygıların ne kadar boş olduğunu hissettiren bu şarkıyı pek sever Recep. Vecihi Bey'le tanışıp Türk sanat musikisinin derinliklerine aşina olmadan önce de severek dinlerdi ama, bu şarkının, *Münir Nurettin Selçuk'un konçertosu* olarak anıldığını öğrenince gözündeki değeri daha da arttı. Hele sözleri! Yahya Kemal Beyatlı'nın *Rindlerin Akşamı* şiirinin doyumsuz bir valsi gibi.

Dönülmez akşamın ufkundayız vakit çok geç
Bu son fasıldır ey ömrüm nasıl geçersen geç
Cihana bir daha gelmek hayal edilse bile
Avunmak istemeyiz böyle bir teselli ile
Geniş kanatları boşlukta simsiyah açılan
Ve arkasında güneş doğmayan büyük kapıdan
Geçince başlayacak sükûnlu gece
Guruba karşı bu son bahçelerinde keyfince
Ya aşk içinde harab ol ya şevk içinde gönül
Ya lale açmalıdır göğsümüzde yahut gül
Dönülmez akşamın ufkundayız vakit çok geç

*Geniş kanatları boşlukta simsiyah açılan/ ve arkasın-
da güneş doğmayan büyük kapıdan/ geçince başlayacak
sükûnlu gece...*

Ölüm! Ve ölümü belki de en lirik anlatan dizelerin bir ağız-
dan, haykırarak söylenişi... Benzer bir ifade var yüzlerde. Razı
oluş, eşitleniş ve hüzün...

Şarkının akışına kendini iyiden iyiye kaptırmışken, karşı-
sında oturan masa arkadaşı Nizam'a takılıyor Recep'in gözü.
Gecenin başında yüzündeki yara, bere ve morlukları saklamak
ister gibi, sandalyesini fasıl heyetine doğru çevirip salondaki-
lere arkasını dönen, birileriyle göz göze gelmemeye özen gös-
teren Nizam, yüksek sesle şarkıya katılmakla kalmıyor, elinde
def varmış gibi usul tutuyor kendince. Ve bu haliyle, çözülmesi
gereken çok bilinmeyenli bir denklem olduğunu düşündürü-
yor Recep'e.

"Türk sanat müziğini seviyorsunuz galiba," diyor Recep.

"Severim," derken, geniş bir gülümseyişle aydınlanıyor
Nizam'ın yüzü. "Daha çok tasavvuf musikisiyle ilgilenirim ama,
Türk sanat musikisine olan düşkünlüğüm de yabana atılmaz."

Tabii ya... Kalacağı pansiyonda bile seccade aranan, apte-
sinde namazında bir adam! Tasavvuf müziğiyle ilgilenmesin-
den, dönülmez akşamların bitmeyen sükûnlu gecelere dönüşe-
ceğini anlatan şarkılara coşkuyla eşlik etmesinden daha doğal
ne olabilir?

Ancak, fasıl heyeti Münir Nurettin Selçuk'un bir diğer ese-
rine, *Kalamış*'a geçtiğinde, yeniden dünyevi neşelerine dönen
diğer dinleyiciler gibi, Nizam'ın da aynı keyifle şarkıya eşlik et-
mesini, hatta kitabına uygun tarzda tempo tutup usul vurarak
diğerlerinden bir adım öne geçmesini hayretle izliyor Recep.

Yok başka yerin lûtfu ne yazdan ne de kıştan
Bir tatlı huzur almaya geldim Kalamış'tan
Yok zerre teselli ne gülüşten, ne bakıştan
Bir tatlı huzur almaya geldik Kalamış'tan

İstanbul'u sevmezse gönül aşkı ne anlar
Düşsün suya yer yer erisin eski zamanlar
Sarsın bizi akşamla şarap rengi dumanlar
Bir tatlı huzur almaya geldik Kalamış'tan

Boşalan bardaklara meyve suyu doldururken, "Daha önce Türk müziğiyle ilgilendiniz mi?" diye soruyor Recep.

Uzun uzun gülüyor Nizam. "Babam, 1950'lerin Tepebaşı Gazino'sundan çıkmazmış," diyor. "Ben de Taksim'deki gazinoların müdavimiydim bir zamanlar."

Şaşkınlıktan ne diyeceğini bilemiyor Recep. Nizam Bey'in bir zamanlar âlemci olabileceğine inanamıyor.

O da hemen toparlanıyor zaten.

"Tasavvuf müziğine geçmeden, uzun yıllar Türk sanat müziğiyle ilgilendim," diyor. Mahcup bir tavırla ekliyor. "Mütevazı düzeyde ufak tefek beste çalışmalarım da oldu."

"Keşke dinleyebilseydik," diyor Recep. "Ama en azından sevdiğiniz bir şarkıyı hep beraber seslendirebiliriz, öyle değil mi?"

Nizam'ın kâğıda yazdığı şarkı, bir kez daha şaşırtıyor Recep'i. Cismani duyguları çağrıştırmayan, ruhani içerikli bir eser beklerken...

İstek kâğıdını Vecihi Bey'e teslim edip yerine oturuyor Recep. Şarkı çalındığında, Nizam'ın yüzünde oluşacak değişiklikleri okumanın sabırsızlığı var üzerinde...

UNUTTURAMAZ SENİ HİÇBİR ŞEY
UNUTULSAM DA BEN

Nizam

Unutturmaz seni hiçbir şey, unutulsam da ben
Her yerde sen, her şeyde sen, bilmem ki nasıl söylesem
Bir sisli hazan kesilir ruhum, eğer görmesem
Neş'emde sen, hüznümde sen, bilmem ki nasıl söylesem

Dedesi koymuştu adını. Babası gibi serkeş, sorumsuz, haya-
tı hafife alan, nerde sabah orda akşam, gününü gün eden aylak
bir herif olmasın diye.

Büyük oğlu Selami akıllı usluydu da, küçük oğlu Hayati'den
çok çekmişti dedesi. Kendisi gibi hayta, kafa dengi arkadaş-
larıyla o meyhane senin, bu bar benim, sabahlara kadar volta
atan bir evlat, Tanrı'nın verdiği en büyük cezaydı Hacı İbrahim
Efendi için. Neyse ki helal süt emmiş temiz bir aile kızıyla baş
göz etmişlerdi de biraz olsun durulmuştu Hayati. Kendisine uy-
gun görülen ideal kıvama hiçbir zaman ulaşamasa da, ev ve aile
konusundaki sorumluluklarına sahip çıkacak, Hacı İbrahim

Efendi gibi ehli din ve ehli namus bir adamın adına yaraşır evlat olma yolunda epey mesafe kat edecekti.

Peş peşe doğan iki kızın ardından gelen oğlana ad koyma şerefi, dedeye aitti kuşkusuz. Hacı İbrahim Efendi, çocuklara verilecek adların, o çocukların karakter ve kişilik yapılarının şekillenmesinde büyük rol oynadığına inanırdı. Somut bir örnek vardı önünde: Kendi oğlu Hayati!

Madem Hayati, adından yola çıkarak kendini hayatın tüm nimetlerinden sonuna kadar yararlanmaya şartlandırmış ve bu uğurda her türlü naneyi yemeyi görev bilmişti... *Nizam* da nizamlı intizamlı, düzgün bir evlat olabilirdi pekâlâ.

Oldu da! Adının hakkını fazlasıyla verdi Nizam. Bacak kadar çocukken üstüne yapışan kişilik özelliklerini, emeklilik günlerinde de aynı sadakatle taşımayı becerebilen ender insanlardandı o. Her daim titiz, temiz, terbiyeli, düzenli; her daim -çocukluk çağlarında bile- yaşından olgun ve mükemmeliyetçi...

Bu özellikleriyle yaşıtları arasında hemen fark edilirken, okul başarısı da hayli yüksekti. Az konuşan, az gülen, söylediği söz dinlenilir bir bilge, bir *ağır abi*'ydi akranları arasında. Aile içindeyse şaka yollu, *filozof* diyorlardı Nizam'a. Büyüklerinin ağzındaki övgü, kuzenlerinin ağzında üstü kapalı alaya ve dalga geçmeye dönüşüyordu.

Göründüğü kadar ağırbaşlı, akıllı uslu değildi aslında. İçten içe kaynayan deli dalgaları dizginlemesini iyi beceriyordu, hepsi o. Neler geçiyordu aklından, bir bilselerdi... Ne hınzırlıklar! En olmayacak duygusal sağanaklarda yıkanıyordu yüreği de, sezdirmiyordu kimselere.

Çevresindeki uçarı ve haylaz çocukların hepsinden önce âşık oldu Nizam. Kalp atışlarının hızlandığını, damarlarında dolanan kanın bir baş bulup dışarı fışkıracakmış gibi delice aktığını hissettiğinde, oturduğu okul sırasından aşağıya salladığı ayakları, yere değmiyordu henüz.

O yaşlarda az çok herkesin yaşadığı türden, sıradan bir çocukluk aşkıydı görünürde. Ama öyle olmadı. Üstelik, âşık olmak için yanlış kişiyi seçmişti galiba Nizam. Kendini bildi bileli yanı başında gördüğü, beraber büyüdükleri dayısının kızı Zeliha'ya (Nizam, *Zilha* diye hitap ederdi Zeliha'ya!) sevdalanmıştı. Rengi ve bakışları ruh haline göre değişim gösteren bal rengi, hareli gözleri, upuzun kıvrık kirpikleri, gülünce dudağının kenarında beliriveren hınzır gamzesi ve konuştuğunda hemen fark ediliveren sesiyle Nizam'ın içinde meltemler estiriyordu Zilha.

Yüreğinden geçenleri kimselere sezdirmedi Nizam. Her geçen gün daha da güçlenen sevdasını sahibine, Zeliha'ya bile açmadan, içinde yaşattı yıllar yılı. Karşı taraftan, yakın akraba çocuğuna gösterilen ilgi dışında ufacık bir yakınlık ya da kendisininkine benzer duygusal bir kıpırdanış görse, açılacaktı belki... Olmadı.

Bir arada, ama farklı dünyalarda yaşıyorlardı. Ortak noktaları yok denecek kadar azdı. Genç bir kız ve genç bir delikanlı olma yolunda hızla ilerlerken, karakterleri arasındaki zıtlık iyice belirginleşti. Nizam ne kadar içine dönük, sessiz, sakin bir yapıdaysa, Zeliha da tam tersine dış dünyayla barışık, hayat dolu, cıvıl cıvıl bir kızdı. Ona yaklaşmak, konuşmak, içini açmak gitgide zorlaşıyordu.

Liseyi bitirdikleri yıl, daha iyimser bir yaklaşımla, umut tomurcuklarıyla bezeli pembe düşler kuruyordu Nizam. Beraberce üniversiteye başlayacak, ayrı bölümlerde olsalar da üniversiteli olmanın ayrıcalığını paylaşacaklardı. Şartlar elverirse, ki artık bu şartları kendisi yaratacaktı, duygu dünyasını Zilha'ya açacak, böylece akraba çevresi dışında özel bir arkadaşlık ve duygusal beraberlik çizgisinde yürüyebileceklerdi.

Ne var ki o yaz söz kesildi Zeliha'ya. "Kız kısmını fazla okutmaya gelmez!" demişti babası. Lise mezunu olması yeter de artardı bile.

Dünya başına yıkılmıştı Nizam'ın. Geç kalmıştı! Becerememişti... Ama nereden bilsindi elin adamının gelip, avucunun içinde tuttuğunu sandığı tektaş pırlantayı kaptığı gibi uzak diyarlara götüreceğini? Evet, memleketlileri, hatta anne tarafından uzak akraba bir gençti Zeliha'nın evleneceği adam. Ve nikâh kıyılır kıyılmaz Zilha'yı alıp Erzurum'a götürecekti.

Bulut gibiydi Nizam. Hiç âdeti olmadığı halde bir küçük şişe cep kanyağını devirip öyle gitmişti düğün salonuna. O telaşın içinde kimseler fark etmedi Nizam'ın umarsız çırpınışlarını. Büyük amca oğlu Niyazi'nin dışında.

"Boş ver emmioğlu!" diye omzuna vurdu Niyazi. "Bu da geçer... Unutursun."

Şaşırmıştı Nizam. Amcasının oğlu bile, dışarı sızdırmadığını sandığı o incecik ışığı görmüş, onun içten içe yaşadıklarını fark etmişti de, Zilha nasıl kör kalmıştı Nizam'ın aşkına? O da anlamış, görmüş ama görmezden gelmeyi mi yeğlemişti acaba?

Bu soruların yanıtlarını hiçbir zaman öğrenemeyecekti Nizam...

Üniversiteye başladığı yıl dedesi Hacı İbrahim Efendi'nin ölümüyle bir kez daha yıkıldı Nizam. Çok bağlıydı dedesine.

Ona karşı sorumlu, hatta borçlu hissederdi kendisini. Yaşamı boyunca elde ettiği maddi manevi tüm kazanımlar onun sayesindeydi.

Hesap vermek zorunda olduğu kimse kalmamıştı. *Nizam* adına yakışmayacak ters bir yola sürüklenirken, suçluluk duyması da gerekmiyordu artık. Babasının gençlik günlerini çağrıştıran delidolu bir süreç yaşıyordu. İçkiyle, sigarayla dost olmuş, okulu asmaya başlamıştı. Babasından tek farkı, yanında kimselerin olmayışıydı. Tek başına içiyor, tek başına sızıp kalıyordu meyhane köşelerinde.

Çabuk toparlandı neyse ki. Tövbe etti, kirlendiğini düşündüğü örselenmiş benliğini günahlarından arındırmak için temiz bir sayfa açtı önüne. Ne var ki, umutlarıyla beraber, eğitim görüp iyi bir yerlere gelme hevesini de yitirmişti. Okulu bıraktı. Eşin dostun aracılığıyla iş bulup bir okulun kütüphane sorumlusu olarak çalışmaya başladı.

Aile büyüklerinin, özellikle de annesinin evlenmesi için yaptığı baskıları geri çevirmekten yorulmuştu. Onlar da girişimlerinden sonuç alamayınca, Nizam'a kız gösterip "evlen" demekten vazgeçmiş görünüyorlardı.

Nasıl evlensindi Nizam! Yüreğinde o ağır yükü, Zilha'nın kavurgan aşkını taşırken, Zilha'yla soluk alıp hâlâ onunla iç içe yaşarken, geceleri "Zilha!" diye uyanırken uykularından... evlenmeye kalkıp birilerinin başını yakmanın âlemi var mıydı?

Zilha'ya kenetlenmiş, Zilha'ya kelepçelemişti kendini Nizam. Katlanılması güç bir çileydi çektiği. Neyse ki gönlüne göre bir işi vardı, tek avuntusu buydu. Gerçek bir mabet olmuştu kütüphane onun için. Sabah erkenden kapısını açıp akşamın geç saatlerine kadar kaldığı tek kişilik bir mabet... Kitaplarla iç içe, okumaya, yazmaya adamıştı kendini. Bu arada titizliği, düzenliliği de had safhaya ulaşmıştı. Her gün bir dolabın kitaplarını indirip uzun masalardan birinin üzerine seriyor, tek tek tozlarını aldıktan sonra okşaya seve raflarına yerleştiriyordu. İçlerinden o gün en çok ilgisini çeken kitabı ayırıyor, ibadet eder gibi, huşu içinde okumaya dalıyordu.

Yaralarının üstünü örtmüştü sözüm ona, ama yüreği içten içe kanıyordu. Uzaklardaydı Zilha'sı. Eskisi gibi istediği zaman göremiyordu onu. Yazdan yaza tatil için İstanbul'a geldiklerinde, rast düşer de bir aile yemeğinde bir araya gelirlerse, birkaç saatliğine dindirebiliyordu özlemini. Sonrası aynı dayanılmazlık, aynı zulmet!

Yıllar yılları kovaladı. Birbirinin aynıydı hepsi. Şeklen yaşanan değişiklikler sayılmazsa, hiçbir yenilik getirmemişlerdi Nizam'ın tekdüze hayatına. Ablaları evlenerek evden ayrılmış, babasının ani ölümünden sonra, uzunca bir süre annesiyle beraber oturmuştu. Edirne'ye yerleşen küçük ablası, ikiz çocuklarının bakımıyla baş edemeyip annesini yanına çağırınca da tek başına kalıvermişti.

Duygusal yönden değişen fazla bir şey yoktu. Bacak kadar çocukken yüreğine çöreklenen inatçı aşk, en kadim dostu olmanın ayrıcalığıyla, bedenindeki saltanatını sürdürüyordu hâlâ. Alışmıştı artık, bu durumun baş edilmez bir illet, bir hastalık olduğunu kabullenmişti. Okuduğu kitaplardan, psikolojik bir bozukluk olarak nitelenen hastalığına tıp dilinde *obsession* dendiğini öğrenmişti. Türkçe karşılığıyla *takıntı, saplantı...*

Evet, takıntılı bir adamdı Nizam. Zilha'ya takılıp kalmış, ne yaptıysa kurtaramamıştı kendini. Küçük bir aşama kaydetmeyi başarmıştı ama. Zeliha ile Zilha'yı birbirinden ayırmış, Zilha'yı hâlâ düşlerinde yaşatırken, evli barklı, çoluğa çocuğa karışmış Zeliha'yı farklı bir konuma oturtup kendinden uzak tutmayı başarmıştı.

Baştan beri huzursuzdu zaten, kabullenmek istemese de başkasının helaliydi Zeliha! Hayallerinde de olsa, ona sevdalısıymış gibi davranması doğru değildi. Günahtı! Önceleri önemsemese de, tasavvufla ilgili kitaplara meyletmeye başladığından beri, suçlu gibi hissediyordu kendini.

Ama ne yapsındı, elinde değildi! Bazı geceler Zilha'yı (Zeliha'yı değil!) çırılçıplak soyup yanına yatırıyordu. Saçının ucundan ayağının parmağına, tüm bedenini gözleriyle tarıyor, sevip okşuyor, ama asla dokunmuyordu.

Dokunsun dokunmasın, aklından geçiriyordu ya! İkilem içinde kıvranıp duruyor, kendini temize çıkarmak için, "O Zilha!" diyordu. "Benim Zilha'm! Kocasından önce ben sevdim onu. Zeliha'yı kocasına, çocuklarına bıraktım ya..."

Yeni takıntısı buydu Nizam'ın. Zilha'yı içinden söküp atamamak, onu ilk günkü sıcaklığıyla, tüm hücrelerinde yaşatmakla büyük günah işlediğine inanıyordu. Evet evet, iflah olmaz bir günahkârdı o!

Üç yıldır beş vakit namaz kılıyor, orucunu aksatmıyordu. Emekliliğine az bir süre kalmıştı. Memleketteki hisseli arazinin satışından payına düşecek parayla hacca gitmeyi düşlüyordu. Bütün bunlar, işlediği günahları affettirmeye yeter miydi? Bilemiyordu.

* * *

İki göz eviyle okulun kütüphanesi arasında geçen siyah beyaz günlerini paylaşacak kimsesi yoktu Nizam'ın. Aramıyordu da. Ancak, öğrenciler dışında kütüphaneye nadiren uğrayan öğretmenler arasında bir Sırrı Bey vardı ki, çevresindeki herkese kapılarını sımsıkı kapalı tutan Nizam, onu diğerlerinden ayrı tutuyordu. Onları birbirine yakın kılan, ortak noktalarıydı galiba... Sırrı Bey de tasavvufla ilgili kitaplara ilgi duyuyor, ödünç aldığı kitapları geri getirdiğinde, okudukları üzerine ilginç yorumlar yapıyordu.

Sırrı Bey kütüphanenin kapısında görünür görünmez, kahveciye okkalı iki kahve söylüyordu Nizam. Sohbeti daha keyifli kılmak, beraber geçirecekleri zamanı elinden geldiğince uzatmak için. Birkaç kez de ikisi beraber, okulun arka sokağındaki kıraathaneye gidip çay içmiş, uzun uzun sohbet etmişlerdi.

"Neden evlenmedin sen?" diye soruverdi bir gün Sırrı Bey.

Ne diyeceğini bilemedi Nizam. "Kısmet!" diye geçiştirmeye çalıştı. Ama Sırrı, bu kadarıyla yetinecek gibi değildi. Her karşılaşmalarında, her çay kahve sohbetinde doğrudan ya da dolaylı olarak tazeliyordu evlenme konusunu. İyi düşünmeliydi Nizam, emekli olunca boşluğa düşerdi insanlar. Emekliliğine az kalmıştı, kütüphaneden ayrılıp eve çekildiğinde hepten yalnız kalacak, bunalıma girecekti.

O güne kadar evlenmeye hiç niyetlenmediğini, bundan sonrasında da asla evlenme niyetinde olmadığını dili döndüğünce anlatmaya çalıştı Nizam. "Benden geçti artık," dedi. "Arkamdan, 'Kırkından sonra azanı teneşir paklar!' dedirteceğime..."

"O da ne demekmiş!" diye şiddetle karşı çıktı Sırrı Bey. "Bizler gibi olgun yaşta, aklı başında insanlar azdıkları için değil, yanı başlarında bir can yoldaşı olsun diye evlenirler."

Neden bu kadar üstüne geliyordu, anlamıyordu Nizam. Nezaketi bir yana bırakıp, "Rahat bırak beni, is-te-mi-yo-rum!" demeye hazırlanırken, baklayı ağzından çıkardı Sırrı Bey.

Hanım hanımcık, daha önce hiç evlenmemiş, annesiyle babasına bakmak uğruna kendini feda etmiş, onların ölümüyle yalnız kalmış, kimi kimsesi olmayan, aptesinde namazında, tam da Nizam'a göre bir gelin adayı vardı ki, her konuda hiç gözünü kırpmadan kefil olabilirdi Sırrı Bey.

İyi niyetle sunulan teklifi, karşısındakini kırmadan savuşturmaya çalıştı Nizam. "Alıştığım bir düzenim var," dedi. "Bu yaştan sonra değiştiremem. Yalnızlıkla can yoldaşlığım yetiyor bana."

"Yalnızlık Allah'a mahsus!" diye kesti Sırrı Bey. "Sen dini bütün bir adamsın. Bekâr olarak ölmenin günah olduğunu bilmez misin?"

Bilirdi elbet, bir sürü kitap okumuştu bu konuda. Evlenmek, dinen makbul bir eylemdi. Ama Sırrı Bey'in sözleri abartılıydı ve gerçekleri yansıtmıyordu. Savunmaya geçti hemen.

"Evlenmek sünnettir," dedi. "Mazeretsiz olarak evlenmeyen sünnete uymamış olur. Sünnete uymayan ise günah işlemiş sayılmaz!"

"Peygamber efendimiz, 'Evlenen kişi imanını tamamlamıştır,' der, bunu da unutma!"

Bir adım öteye geçip, "Ne mazeretin vardı da evlenmedin?" diye sorsa, verecek yanıtı yoktu Nizam'ın. Ne diyecekti? Yüreğine gömülü kırık bir aşk hikâyesi... Umutsuzluk, unutamama... Bunların hangisi Sırrı Bey'in gözünde geçerli bir mazeret sayılabilirdi ki?

* * *

Uzunca bir süre konuyu açmadı Sırrı Bey. Vazgeçti herhalde diyerek, için için sevindi Nizam. Bunca yıllık ömründe ilk kez dostum diyebileceği birini bulmuşken, kaybetmeyi istemiyordu açıkçası.

Herkesten ayrı tutup değer verdiği dostunun iftar yemeği davetini de seve seve kabul etti Nizam. Ancak Sırrı Bey'in yemekten bir gün önce söyledikleri, bedenindeki tüm kanın beynine sıçramasına yetti.

"Yarın akşam Zehra da bizimle olacak. Hani sana söz etmiştim ya..."

Neyse ne, kırmaya, kırılmaya değmezdi. Gider yemeğini yer, sonra da bu işin olamayacağını kesin bir dille anlatırdı Sırrı Bey'e. Zorla gerdeğe sokacak halleri yoktu ya!

İftara yarım saat kala Sırrı Beylerin kapısını çaldı Nizam. Elindeki baklava kutusuyla köşedeki fırından aldığı sıcacık pideleri Sırrı Bey'in karısına teslim edip ayakkabılarını çıkardı, ayağının önüne uzatılan ekose desenli ev terliğini giydi. Sırrı Bey'le beraber salona geçip oturdular.

Sırrı Bey'in karısıyla yeniyetme iki kızı, ellerinde servis tabaklarıyla mutfakla salon arasında gidip gelerek sofranın eksiklerini tamamlıyorlardı. En son o'nu gördü Nizam. Elindeki büyük çorba kâsesini sofranın ortasına bırakıp başını öne eğerek, buraya kendisi için gelmiş özel misafire tanıtılmayı bekliyordu.

"Bu da bizim Zehra'mız!" dedi Sırrı Bey. "Ailemizin kıymetlisidir."

Gözlerini yere indirdi Nizam. Gönülsüzlüğünün yanı sıra, biraz da utanmıştı galiba. O, kızın yüzüne bile bakmamıştı ama, oradaki herkesin gözü onun üzerindeydi. İçeriye adım attığından beri tüm ev halkının kendisine, kız görmeye gelmiş damat adayı gibi davranması yeterince sıkıcıydı zaten. Bir de bu tanıştırma faslı... Çekilecek gibi değildi!

İftar saatini duyuran ezan sesi, müjde gibi geldi Nizam'ın kulağına. Bir yudum su, hurma, zeytin... Çorbalarını kaşıklarken, "Pide alır mıydınız?" diyen sese doğru döndü. Zehra'ydı. Onun tutukluğunu kırmak ister gibi, sıcak bir gülüşle pide sepetini uzatıyordu.

Hayret, daha önce nerede görmüştü onu Nizam? Bir yerlerden tanıyor da çıkaramıyor gibiydi. Utanmayı sıkılmayı bir yana atıp dikkatlice baktı Zehra'nın yüzüne. Ela gözleri, kıvrık kirpikleri...

"Zilha!" diye fısıldadı ağzının içinde.

Ne kadar da benziyordu Zilha'ya! Onun biraz toplucası. Güzel bile sayılmazdı aslında. Yüz hatları Zilha kadar ince değildi. İri iriydi elleri. Zilha'nın bir boy irisi, kabasıydı sanki. Gene de benziyordu işte. Ama konuşunca kayboluyordu o benzerlik. Nerede o, Zilha'nın şarkı söyler gibi ahenkle bükülen sesi, nerede bu erkeksi, kalın ses tonu!

Kızıverdi kendine. Bu tür kıyaslamalara gerek var mıydı? Zilha'ya benzesin benzemesin, hiç kimse onun yerini tutamazdı!

Kabul etmeliydi ki, Zehra da fena sayılmazdı. Evde kalacak kız değildi en azından. Sırf başından evlilik geçmemiş diye "kız" demek ne kadar doğruydu, orası da tartışılırdı. Vaktinde evlense, boyunca çocukları olurdu şimdiye. Otuz beş yaşında demişti Sırrı Bey, ama rahat kırkında vardı, belki daha da fazla. Eh, kendisi de elliye merdiven dayamıştı. Evlensin diye on sekizinde kız gösterecek halleri yoktu ya...

Neler düşünüyordu böyle! Her şey tamammış da, yaşların uyumuna kalmıştı sanki iş...

* * *

O gece, uykusunun içinden kaç kez, "Zilha!" diye haykırarak fırladığını bilemedi Nizam. Kâbuslarla boğuşmaktan, havale geçirir gibi bir sağa, bir sola yalpalanan bedenini zapt etmeye çalışmaktan yorgun düşmüş bir halde, erkenden uyandı yeni güne. Kalktı, aptes aldı, namaza durdu.

Yaşanan hiçbir şeyin rastlantı olmadığına inanırdı. Bu inancını doğrulayan öylesine çok örnek vardı ki hayatında... Şimdi de Zilha'nın bir benzeri çıkmıştı karşısına. Allah'ın işiydi bu, Allah çıkarmıştı Zehra'yı Nizam'ın yoluna. Madem "O" istemişti, çiğneyip geçmek olmazdı! Mutlaka bir bildiği vardı o yüce gücün...

Nizam'ın verdiği kararın olumlu oluşu Sırrı Bey'i şaşırtmış, ama bir o kadar da sevindirmişti. Evlenmesinden tamamıyla umudunu kesmiş uzak, yakın aile çevresi içinse hiç beklenmeyen, bomba gibi sürprizdi bu haber. Herkes memnuniyetle karşılamıştı evlenme kararını, ama Nizam'ın annesi en çok sevinenlerin başında geliyordu.

İftar yemeğindeki ilk karşılaşma sayılmazsa, Nizam'la Zehra, nikâhtan önce yalnızca iki kez görüşebildiler. O da yoğun kalabalıkların ortasında. İlkinde, cümbür cemaat kız isteyip söz kesmeye gittikleri geceydi. Edirne'den gelen annesi, küçük ablası, İstanbul'daki büyük abla, enişteler, amcalar, yengeler, çocuklar... İkincisinde de annesi ve ablalarıyla beraber gelin alışverişine çıktıklarında.

Fazlasına gerek yoktu. Mantık izdivacı yaptıkları apaçık ortadaydı. Evlenmeden önce eşlerin birbirini tanıması, onları ilgilendirmeyen bir fanteziydi. Evlendikten sonra birbirlerini tanımak için bol bol zamanları olacaktı.

Söz kesildikten sonra, şaka yollu takılmıştı Sırrı Bey. "Böyle sakin durduğuna bakmayın, bizim kızı kızdırmaya gelmez," demişti. "Temizlik, titizlik hastasıdır Zehra'mız. Bir şeylere kızmaya görsün, döker dolapları, ne var ne yok yıkar, paklar ki huzur bulup sakinleşebilsin. Takıntılıdır anlayacağınız."

"Bu da kusur mu?" diyerek gülmüştü Nizam'ın annesi. "Temizlik, titizlik, düzen, meziyettir bizim oğlumuz için. Nizam adını boşa koymamış dedesi..."

"Demek onun da takıntısı var," diye içten içe gülmüştü Nizam. Sorun değildi... Takıntısı olan birini, ancak takıntılı olan anlardı.

Nikâhlanıp evlerine yerleşeli bir hafta olmuştu. Kesin karar vermek için henüz çok erkendi ama, "İyi ki evlenmişim!" diyecek kadar mutlu hissediyordu kendini Nizam. Halim selim, iyi huylu, uysal bir eş olma yolunda emin adımlarla ilerliyordu Zehra. Pek de hamarattı. Her gün tepeden tırnağa silip süpürüyordu evi. Kapılar, camlar, halılar... O kadar işi yapıyor, bana mısın demiyordu. Güçlü kuvvetliydi. Güzel yemekler pişiriyor, zevkli sofralar hazırlıyordu. Nizam'ı hoş tutmayı da iyi biliyordu. Yemeğin üstüne kahve, akşamüstü çayları...

Emeklilik günlerine ödül gibi gelmişti Zehra. Yalnızlığına ışık, Sırrı Bey'in dediği gibi, canına yoldaş olmuştu. Onu hoş tutmak da Nizam'ın göreviydi. Daha ilk günden, sorumluluklarının bilincinde, Zilha'yı yatak odasının kapısından içeriye sokmamak için yeminler etti, sözler verdi kendi kendine. Madem evliydi ve bir karısı vardı artık, davranışlarına çekidüzen vermek zorundaydı. Ne var ki, derin uykuya dalmaktan korkar olmuştu Nizam. Uykusunun içinden, "Zilha!" diye haykırarak uyanırsa, nice olurdu hali?

Zehra da en az Nizam kadar mutlu hissediyordu kendini. Eli erkek eline, gözü erkek gözüne değmemiş biri için, "aşk" olarak bile tanımlanabilirdi yaşadıkları. Aralarında epey yaş farkı vardı ama, yaşından genç görünüyordu kocası. Yakışıklıydı üstelik, güçlü kuvvetliydi. Görücü usulüyle değil de sevdalanarak evlenmişler gibi, içinin ateşini dışarı vurmaktan çekinmiyordu. Zehra'nın yüz hatlarında gezinen, özellikle de gözlerinin üzerinde düğümlenen bakışları tutkuluydu.

Mutlu olmanın ötesinde, şanslı olduğunu da düşünüyordu Zehra, böyle bir talih kuşu herkesin başına konmazdı. Bir önceki gece, kollarından sıyrılıp uykuya daldığında, karısının adını sayıklamıştı Nizam. "Zelha", "Zehra" arası mırıltılar dökülmüştü dudaklarından. Şaşkınlıktan donakalmıştı Zehra. Bunca yıl evlenmeden, kendini ona mı saklamıştı kocası? Yılların acısını ve özlemini çıkarırcasına sarıp sarmalarken Zehra'sını, bir de adını sayıklayacak kadar âşık mı olmuştu ona?

Her şey yolunda sayılırdı. İki ay boyunca, bir iki küçük kriz dışında, neredeyse hiç kavga etmemişlerdi. Çok titizdi Zehra, kendi icat ettiği temizlik kurallarına kayıtsız şartsız uyulmasını istiyordu. Sorun yapmıyordu Nizam, ayak uydurmaya çalışıp, gördüğü aşırılıkları görmezden gelince çatışacak neden kalmıyordu.

Teşhisini koymuştu, gereksiz alınganlıkları vardı karısının. Küçücük bir şeyi dert edip kafasında büyütüyor, acısını da temizlikten çıkarıyordu. Böyle zamanlarda yıkanabilir, yıkanamaz eline ne geçerse her şeyi sudan geçirmeden yatışmıyordu sinirleri.

Sırrı Bey'in *takıntı* diye nitelediği, aşırılık ve hastalık kokan tabloyu iki kez yaşamışlardı...

İlkinde, makarnayı daha diri yemeyi tercih ettiğini söylemişti Nizam. Eleştirmeden, sohbet havasında, karısını asla kırmadan. Hiç yanıt vermemişti Zehra. Bedenine elektriksel bir güç yüklenmiş gibi aniden yerinden fırlamış, mutfak dolaplarının içinde ne kadar tabak, bardak, tencere, tava varsa yemek masasının ve tezgâhların üzerine yığmış, en yağlı bulaşıklarla güreşir gibi, toz ovucularla, güçlü çözücülerle, deterjanlarla ova ova, tertemiz kap kacağı yıkayıp durulamaya girişmişti. Amansız bir krizin pençesinde gibiydi.

Yapacak bir şey yoktu. Okuduğu kitabı, gözlüğünü, ceketini alıp dışarı attı kendini Nizam. Sokağın başındaki kahvehaneye gidip oturdu. Çaydı, kahveydi... Akşamüstüne kadar oyalanıp saatler sonra döndü eve. O ürkütücü tablo hiç yaşanmamıştı sanki. Tertemiz, eski düzenine kavuşmuş bir mutfak... Her şey yerli yerinde. Zehra'nın yüzünde de yaşadığı krizden eser yok!

İkinci krizde de hiç günahı yoktu Nizam'ın. Ayağından çıkardığı ayakkabıları kapının önündeki paspasın üzerine değil de mermer zemine koymuştu. Sen misin Zehra Hanım'ın koyduğu kuralları ihlal eden! Ayakkabı dolabında ne kadar ayakkabı, terlik, çizme, bot varsa, yere serdiği gazetelerle oluşturduğu geçici örtünün üzerine boca ederek altlarını, üstlerini, içlerini -her bir yeri ayrı bezle- silmeye koyulmuştu.

Böyle durumlarda ne yapacağını öğrenmişti artık Nizam. Kapının aralığından süzüldüğü gibi, doğru kahvehaneye...

* * *

Olaylara iyi niyetle yaklaşılınca, uyumsuzluklardan uyum yaratma, olumsuzlukları olumlu kılma çabaları sonuç verir olmuştu. Gitgide alışıyorlardı birbirlerine. Takıntı krizleri dışında (Neyse ki sık gelmiyordu o krizler!), sakin bir yapısı vardı Zehra'nın. Melek gibi, işinde gücünde, aptesinde namazında, dört dörtlük ideal bir ev kadınıydı. Titizliğine de alışmıştı Nizam. Yarı beline kadar pencereden sarkıp küçücük bir sehpa örtüsünü dakikalarca silkelemesinden rahatsız olmuyordu artık. Pasaklı, pis bir karısı olacağına, böylesi daha iyiydi.

Evliliklerinin dördüncü ayını doldururken yaşadıkları beklenmedik bir olay, kurmaya çalıştıkları düzeni altüst etmese, daha da iyiye gideceklerdi belki... Ama olmadı, olamadı.

Yaz başında dayısı telefonla aradı Nizam'ı. "Zeliha, kocası, çocukları tatil için İstanbul'a geldiler," diyordu Abo dayı. "Cumartesi akşamı seni ve karını da bekliyoruz. İtiraz istemem, bilmiş ol!"

Geleneksel hale gelmiş bir aile yemeğiydi çağırdıkları. Her yıl aşağı yukarı aynı tarihlerde, İstanbul dışındaki akrabalar tatile geldiğinde bir araya gelir, yer içer, bir yılın özlemini giderirlerdi. Bugüne kadar hiç aksatmamıştı Nizam. Her yıl gider, üç çocuk doğurmuş, bedeni hantallaşmış, eski güzelliğini büyük ölçüde kaybetmiş Zeliha'yı, gönül gözüyle ilk gençlik günlerindeki *Zilha* haliyle görüp hayran hayran seyrederek ayrı geçen bir yılın acısını çıkarır; ayrı geçecek günler için beynine, ruhuna, benliğine Zilha'nın gözlerini, bakışlarını, gülüşünü, duruşunu, merhabalaşıp vedalaşırken içine çektiği kokusunu depolar, bir yıl boyunca idare etmeye çalışırdı.

Ne olacaktı şimdi? Karısının yanında olduğu bir ortamda bunları yapabilecek miydi?

* * *

Üstüne başına çok özendi o gün Zehra. Kolay mıydı, el önüne çıkacak, kocasının ailesinden, daha önce hiç görmediği birileriyle tanışacaktı. Sık sık adını duyduğu, Erzurum'daki dayı kızını da merak ediyordu doğrusu.

Öncekilerden farksız, mütevazı bir aile yemeğiydi. Uç uca eklen iki masadan oluşan upuzun bir sofra... Kalabalık içinde uğultuya dönüşmüş karışık sesler... Ve o kalabalığın arasından sıyrılıp öne çıkan iki kişi: Biri uzaklardan gelmiş, ailenin gözbebeği Zeliha, diğeri de yeni gelin Zehra.

İlk kez başını kaldırmadan, gözlerini Zilha'nın üzerine dikmeden, kadınlardan çok, erkeklerin sohbetlerine katılmayı tercih ederek ve bir an önce buradan çekip gitmenin sabırsızlığı içinde, sessizce yemeğini yedi Nizam. Zehra ise kadın erkek, orada bulunan herkesin ilgisini üzerinde toplamanın gururuyla daha rahat hareket ediyor, daha rahat konuşuyordu. Yeni tanıştığı Zeliha'yla da sohbeti ilerletmişti.

"Nikâhımızda yoktunuz," dedi. "Sizleri de aramızda görmek isterdik."

"Gelemedik ya! Çocukların okulu, Numan'ın işi..." Birden Nizam'a döndü Zeliha. "Hala oğlumuz da hayırsız çıktı!" dedi herkesin duyabileceği bir sesle. "Davetiye bile göndermedi, başkalarından duydum evleneceğini. Gözden ırak olan, gönülden de mi ırak oluyor Nizamcığım? Uzaklara gidince, Zilha bile unutuluyor ha..."

"Zilha!" diye istemsizce mırıldandı Zehra. Kulaklarına çarpıp zehirli bir ok gibi beynine saplanan bu ismin yabancısı değildi. Kocasının ağzından duyduğu ismin sahibi kendisi değil, bu kadındı demek!

* * *

Yemeğin ardından çay içerlerken, Zehra'nın yüzünün asıldığını, gözlerinde çelik ışıltılı kıvılcımların çaktığını uzaktan uzağa fark etmişti Nizam. Eserekli karısı gene neye takmıştı kafasını, çözememişti.

Erken kalktılar. Geldikleri gibi, orada bulunan büyük küçük herkesle tokalaşıp kucaklaşarak vedalaştılar. Apartmanın kapısından çıkıp sokağa adım atmışlardı ki... kafasına yediği darbeyle sendeledi Nizam. Zehra elindeki çantayla yalnız kafasına değil, sırtına, kollarına, suratına, neresi rast gelirse var gücüyle vuruyor, "Zilha ha, Zilha!" diye haykırıyordu.

Başını kaldırıp, kim görüyor bu rezaleti diye etrafına bakındı Nizam. Karanlıktı sokak, kimsecikler yoktu. Kolundan tutup yatıştırmaya çalıştı Zehra'yı, başaramadı. Bir taksi çevirdi. Zehra'yı arka koltuğa yerleştirdi, kendisi öne geçti.

Yol boyunca, "Zilha! Zilha ha, Zilha!" diye söylenip durdu Zehra. Çaresizlikle yüzünü buruşturdu Nizam. Yıllardır içinde gömülü tuttuğu büyük sır, ağzına sakız olmuştu karısının.

İyi de, nasıl olmuştu bu iş? Aşkını, aşkına, Zilha'ya bile dillendirmemişken.

Tabii ya... Korktuğu başına gelmişti de farkında değildi. Uyurken, "Zilha!" diye haykırmış ya da sayıklamıştı büyük bir ihtimalle. Yemekte, Zeliha'nın ağzından Zilha adını duyunca, basit bir akıl yürütmeyle tanıyı koyuvermişti Zehra. Kocasının geceleri adını sayıkladığı Zilha, Zeliha'dan başkası değildi.

Eve gelince iyice zıvanadan çıktı Zehra. Eline ne geçerse oraya buraya fırlatıyor, bir kısmı Nizam'a teğet geçerken, bazıları da vücudunun çeşitli yerlerine çarpıp canını acıtıyordu.

Avazı çıktığı kadar bağırıp çağırması da cabası... Madem evli barklı bir kadınla düşüp kalkıyordu Nizam, neden evlenmişti Zehra'yla? Kıldığı namazlar boşunaydı! Zinanın en büyük günah olduğunu bilmiyor muydu? Günahlarının çokluğu yüzünden mi kendini ibadete vermişti?

"Yanlış anladın, sakin ol," diyerek bir şeyler anlatmaya çalışan kocasını görecek halde değildi. Yatağın üzerine henüz o sabah serdiği çarşaf, nevresim, yastık kılıfı, ne varsa toplamış, kocasının affolunmaz günahlarını temizlemek ister gibi sabırsız bir acelecilikle çamaşır makinesine tıkıştırmaya çalışıyordu. Tahmin etmesi güç değildi. Sabaha kadar sürerdi karısının temizleme, temizlenme, arınma çabaları. Bir battaniyeyle bir yastık alıp salondaki kanepeye doğru yürüdü Nizam.

Ertesi sabah, Zehra'yla konuşmayı bir kez daha denedi. Keşke hiç yeltenmeseydi! Gözleri çakmak çakmak, "Sus!" diye kocasının üzerine yürüdü Zehra. "Sus! Ne yüzle konuşacaksın benimle namussuz herif!"

İnanılacak gibi değildi. Küfürlü, hakaretli bağrışları yetmezmiş gibi, öfke patlamasını tekmelerle, tokatlarla pekiştirmekten çekinmiyordu. Haklıydı gerçi karısı ama, bu kadarı da fazlaydı. Bağır, çağır, küs... Hepsine razıydı bunların, ama resmen şiddet uyguluyordu kadın!

Onunki de amma şanstı! Emekliliğinde rahat etmeyi, kafa dinlemeyi düşlerken... Kendine bile itiraf etmeye dili varmıyordu ama, karısından dayak yiyordu Nizam!

Günlerce evden çıkamadı. Yüzündeki şişliklerin, gözaltlarına oturmuş morlukların geçmesini bekledi. Bu arada, uzun uzun düşünme fırsatı oldu...

Eli armut toplamıyordu Nizam'ın. Güçlü kuvvetli de olsa, kadındı karşısındaki. Şöyle bir tutup kolunu sıksa, fiske bile atamazdı Nizam'a. Ne var ki, şiddete şiddetle karşılık vermek yakışık almazdı. Ailesinde öyle görmüş, öyle bellemişti. Hem, kendini korumak için de olsa, Zehra'nın canını yakarsa Sırrı Bey'e nasıl hesap verirdi?

Aldatma kendini Nizam!

Zehra'ya el kaldırırsan, Zilha'ya vuruyor gibi hissetme-yecek misin kendini?

Onun ela gözlerinde Zilha'nın gölgesi var. Sırf bu yüz-den evlenmedim mi Zehra'yla?

Acaba Sırrı Bey'le konuşsa mıydı? Bir an için cazip geldi bu fikir ama, hemen vazgeçti. Ne diyecekti ona, "İçimde sır gibi sakladığım, bir türlü vazgeçemediğim, tutkulu bir aşkla bağlı olduğum bir sevgilim var. Zehra da bunu öğrendi ve bir güzel patakladı beni. Günlerdir dayak yiyorum karımdan," diyebilir miydi? Sırrını Zehra dışında bir kişiye daha ifşa etmesi bir yana, "Karımdan dayak yedim!" demeye ar ederdi Nizam, utanırdı.

Bir hafta geçmişti aradan. Zehra'nın şiddete yönelik öfkesi yatışmış görünüyordu. Sakin bir zamanını kollayarak, kolundan tutup kanepeye oturttu karısını. Karşısına geçti, bütün sami-miyeti ve iyi niyetiyle açık açık anlattı "Zilha" hikâyesini. İçin-deki duyguları ona bile açmadığını, aralarında asla Zehra'nın düşündüğü gibi bir ilişki yaşanmadığını ve yaşanamayacağını, onun adını sayıklamasının ise, hastalıklı denilebilecek takıntılı ruh yapısıyla, saplantı haline getirdiği bir rüyayı tekrar tekrar görmekten ibaret olduğunu anlattı dili döndüğünce.

Hiç karşılık vermeden, sessizce dinledi Zehra. İkna olmuş görünüyordu. Nizam sözünü bitirdiğinde kalktı, günlerdir çarşafsız duran çıplak yatağın üzerine yıkayıp ütülediği çarşaflardan birini serdi, yastıkları kılıfladı, yorganı nevresime geçirip üstüne çeyizinde getirdiği sırma işlemeli saten yatak örtüsünü örttü.

Mutfağa geçti. İki kap yemek koydu ocağın üstüne, salata yaptı. Günlerden sonra ilk kez sofra kuruldu evlerinde, ilk kez aynı yorganın altına girildi...

Her şey rayına oturmuş gibiydi. Zeliha'dan gelen o telefon olmasaydı...

Zeliha, kocası ve çocukları Erzurum'a döneceklerdi. Gitmeden önce hayırlı olsuna gelip yeni evlileri kutlamak istiyorlardı. Nizam'a kalsa, mazeret uydurup kabul etmemeyi tercih ederdi, ama Zehra çıkmıştı telefona. "Başımla beraber!" demekle kalmamış, "Akşam oturmasına değil, yemeğe bekliyoruz," diyerek bayağı abartmıştı olayı.

Önde Nizam'ın dayısı ve yengesi, arkada Zeliha, kocası ve çocukları... Aralanan kapının eşiğinde Zehra, onun bir adım gerisinde Nizam... Hep beraber içeriye geçerlerken, Nizam'la Zehra aşağı yukarı aynı şeyleri geçiriyorlardı akıllarından. Bu akşam, zorlu bir sınav verecekti ikisi de. Nizam, Zilha'yı gerilerde bir yerde bırakıp hayatına yeni bir sayfa açtığını kanıtlarken, Zehra da ona inandığını, güvendiğini, hem ona hem de kendisine kanıtlayacaktı.

Umduklarından güzel geçti yemek. İki taraf da birbirini övgü yağmuruna tuttu. Zehra'nın yaptığı leziz yemekler göklere çıkarıldı. Zeliha'nın evlilik hediyesi olarak getirdiği gümüş ayna hemen duvara asılıp tekrar tekrar teşekkür edildi. Bu konuşma ve övgü faslı kadınlar arasında geçiyor; Nizam, dayısı ve Zehra'nın kocası Numan'la konuşup çocuklarla ilgilenerek geceyi vukuatsız kapatmaya çabalıyordu. Başını kaldırıp bir kez olsun Zeliha'nın yüzüne bakmamıştı, bakamamıştı. Doğrudan ona hitap edecek tek söz söylememişti. Hem Zehra'dan çekindiğinden, hem de... kendisinden korktuğu için! Elinde olmadan kendini ele verir diye ödü kopuyordu.

Misafirleri kapıdan geçirirken derin bir oh çekti Nizam. Kazasız belasız atlatmıştı bu badireyi. Karısının güvenini sarsacak hiçbir yanlış davranışı olmamıştı gece boyunca. Zehra da durumdan memnun olmalıydı ki, yüzünden gülümsemeyi eksik etmemişti.

Ferahlamıştı. Ailesine gösterdiği misafirperverlik için defalarca teşekkür etti karısına. Bir hafta önce yaşadıkları kâbusu hatırlamak bile istemiyordu. Sorun aşılmıştı. Merkezinde Zeliha'nın olduğu bu geceyi atlattıktan sonra, karada ölüm yoktu Nizam için...

Huzursuz bir geceydi. Uyku tutmuyordu Nizam'ı. Yatağın içinde dönenip durmaktan yorgun düşmüştü. Biraz da kendisi istiyordu ayık kalmayı. Gözlerini kapatır kapatmaz Zilha canlanıyordu karşısında, ne yapsa silemiyordu görüntüyü. Yüreğinin biricik aşkı Zilha'yla eski günlerde kalmış Zeliha, amansız bir mücadeleye girip birbirlerini alt ederek öne çıkmaya çabalıyor, sonunda aynı kalıba dökülmüş bir alaşım gibi tek vücut olup karşısına dikiliyorlardı.

"Ben Zilha'yım!" diyordu benlik kavgasından galip çıkan yüz. "Atamazsın beni! Silemezsin, unutamazsın..."

Allah affetsindi, becerememişti Nizam, unutamamıştı Zilha'yı!

Dalar gibi oldu bir ara. Kulağına çalınan o sesle irkilip uyandı.

"Zilha!"

Kendi sesine uyanmıştı Nizam. Dudaklarından dökülen harfleri geri toplayabilirmiş gibi, eliyle sımsıkı kapadı ağzını. Ya Zehra duyduysa! Nefesini tutup gecenin sessizliğini dinledi. Hayır, uyuyordu karısı, şöyle bir kıpırdanıp yan dönmüştü.

Bu gece uyku haramdı Nizam'a, doğrulup kalktı. Başucundaki kitabı alıp içeriye geçti. Kafasındaki münasebetsiz düşünceleri silmek ister gibi saatlerce kitap okudu... Karanlığın perde perde çekilmesini, güneşin yeni bir güne doğuşunu uykusuz gözlerle izledi. Namaz vaktiydi, aptes alıp namaza durdu.

Birden bir ses duydu arkasında. Geriye dönmesiyle, Zehra'nın darmadağın, terden birbirine yapışmış saçları, beyazlarına kan oturmuş ateş saçan gözleriyle karşılaşması bir oldu. İçgüdüsel bir korunma hareketiyle geriye attı bedenini. Geç kalmıştı. Zehra'nın elinde tuttuğu metal ayaklı tabure kafasına iniverdi. Yüzünü sıvazladığında eli kıpkırmızıydı Nizam'ın, kan içinde kalmıştı her yanı.

Deli deli bakan gözleriyle, "Hak ettin bunu!" diye haykırdı Zehra. "Madem kafandan silip atamıyorsun, o kafayı dağıtayım da, seni sayıklatacak Zilha kalmasın içinde."

Uzanıp tabureyi tutmaya çalıştı Nizam. Metal ayağın sivri ucu, kolunun derisini, bileğinden dirseğine boydan boya yırtıverdi.

Güçlükle doğrulup kalktı. Banyodaki aynanın önüne geçip yüzünün gözünün, bedeninin aldığı yaralara baktı. Hastanelerin acil servislerine yaraşır bir tablo duruyordu karşısında. Gitmeye kalksa, kaç dikiş atarlardı kim bilir... Hayır, hiçbir yere gitmeyecek, kendi tedavisini kendi yapacaktı. Bu bedendeki ne derin yaralar, dikişsiz tedavisiz kendi kendine kapanmamış mıydı?

Öncelikle ıslattığı kâğıt havluyu kolunun üzerine sıkıca bastırdı. Hem sürekli akan kanı, hem de içine işleyen acısını dindirmek için. Ecza dolabından pamuğu, sargı bezini, yara bandını, antiseptik solüsyonu çıkardı. Yüzünden boynuna kadar inen kanı temizledi önce. Kaşı yarılmıştı. Üzerini antiseptik solüsyonla silip sargı bezi ve bantla kapattı. Kolundaki yara daha derindi, üstüne bastırdığı kâğıt havlu kırmızıya kesmişti kandan. Çektiği acıdan iki büklüm olsa da yarayı temizleyip, bir ucunu dişlerinin arasına kıstırdığı sargı bezini tek elle koluna dolayıp sarmayı başardı.

Bu kadarı yeterdi şimdilik. Yüzündeki ufak tefek çiziklere, vuruklara aldırmadı bile. Pansuman malzemelerini bir torbaya doldurdu. Okuduğu kitapla beraber, dolaptan çıkardığı el çantasına yerleştirdi. Yatak odasına geçti, giyindi. Zehra'nın şaşkın bakışları arasında kapıyı çekip çıktı.

Birkaç gün kalabileceği bir çatı altı bulmalıydı kendine. Sonrasını sonra düşünürdü...

DAMARDAN ŞARKILAR

Vecihi'ye kalsa, daha ağır aksak gidecek ama, gelen isteklere uymak zorunda hissediyor kendini. Ses sese, yürek yüreğe söylenecek, bu tür gecelerin olmazsa olmazı fantezi eserleri yok sayamaz ya.

Keyifler kıvamını bulmuşken, damardan nağmelere geçmenin zamanıdır...

Sevmekten kim usanır, tadına doyum olmaz
Hangi gönül uslanır, sevenle oyun olmaz
Kaç kere yemin ettim, kaç gönüle de girdim
Sensiz yapamıyorum, bak yine geri geldim

İster yüzümü güldür, istersen ağlat beni
Bir gecenin koynundan, bin geceye at beni
Kaç kere yemin ettim, kaç gönüle de girdim
Sensiz yapamıyorum, bak yine geri geldim.

Şarkının bitiminde, Ankaralı gruptan sesli bir istek geliyor. "At kadehi elinden!" diye bağırıyor gençten biri. Vecihi Bey'e endişeyle bakıyor Recep. İsteğini usulüyle kâğıda yazıp vereceğine, oturduğu yerden emir buyurur gibi haykırmasını değerli üstadın hoş karşılamayacağını düşünüyor.

Hayret, yüzünde hoşgörülü bir ifadeyle, kısa bir ara taksimin ardından hüzzam makamına ve icra edilmesi istenen esere geçiyor Vecihi Bey.

Bu gece son gecemiz acı günler yakında
Bir ömür böyle geçti olamadık farkında
At kadehi elinden bin parçaya bölünsün
Dökülsün meyler yere hatıralar gömülsün

Dolu dolu içerdik kadehlerde aşkı biz
Güneş bize doğardı ne mutluyduk ikimiz
At kadehi elinden bin parçaya bölünsün
Dökülsün meyler yere hatıralar gömülsün

Gene hüzzam makamından bir istek var Vecihi'nin önünde. 1960'lı yıllarda yönetmenliğini Haldun Dormen'in yaptığı, başrollerini Belgin Doruk'la Erol Günaydın'ın oynadığı *Güzel Bir Gün* adlı filmde, laternayla çalınan şarkı bu. Pek çok ünlü şarkıcı tarafından icra edilerek bugünlere kadar gelmiş. Vecihi'nin ilgisini çeken, sözlerindeki hüzne rağmen, dinleyenlerin üzerinde neşe yaratması.

Bu ne sevgi ah bu ne ıstırap
Zavallı kalbim ne kadar harap
Nasibim olsun bir yudum şarap
Sun da içeyim yarin elinden

Al şu kadehi yaşla doldurma
Düşürme yeter gönlümü gama
Gurubun rengi vurmadan cama
Ver mezesini tatlı lebinden

Bahtım sarılmış simsiyah tüle
Yaşlı gözlerle yalvardım güle
Uzak kalırsan bana acele
Selamlar gönder seher yeliyle

Bestesi ve güftesi Yesari Asım Arsoy'a ait hareketli ve neşeli hüzzam bir eserle birinci bölüme noktayı koyuyor fasıl heyeti.

Yâr yolunu kolladım beyaz mendil salladım
Ona çiçek yolladım akasyalar açarken
Yârim gelir yanıma kanı kaynar kanıma
Neş'e saçar canıma akasyalar açarken

Yârimle biz, biz bize otururuz diz dize
Sevişiriz göz göze akasyalar açarken
Girdim aşkın bağına erdim sevda çağına
Düştüm gönül ağına akasyalar açarken

Fasıl heyeti için salonun gerisinde bir masa hazırlatıyor Recep. Üstünü donatıyor. Yemek istemiyorlar. Küçük atıştırmalıklar, çerez, soyulup dilimlenmiş meyve ve içki... Dört dönüyor etraflarında Recep, özellikle de Vecihi Bey'in bir dediğini iki etmiyor.

Koyulaşan sohbete öylesine dalmış ki, konuklardan birinin usulca yanına yaklaştığını fark etmiyor. Omzuna hafifçe dokunan elin sahibi Yusuf. Çamurlu ayakkabıları ve darmadağın saçlarıyla pansiyona dalıveren şu gariban oğlan! Üstüne başına çekidüzen verince yakışıklılığı çıkmış ortaya.

"Ben de bir şarkı isteyebilir miyim?" diye soruyor mahcup bir tavırla. Sonra da alacağı yanıtı beklemeden masanın üzerine bırakıyor kâğıdı.

"Tamam," diyor Recep. "Gerekeni yaparız. Rahatına bak sen..."

Yusuf'un arkasından, istek şarkısını yüksek sesle okuyor Recep.

"Eller kadir kıymet bilmiyor anne!"

"Yok artık!" diyerek elini masaya vuruyor Vecihi. "Her şey bitti de arabeske mi geldi sıra?"

Vecihi Bey'in arabeskle arası olmadığını fasıl heyetindeki arkadaşları da, Recep de çok iyi biliyor. Ama Recep, daha biraz önce Vecihi Bey'in etrafında dört dönen, ağzından çıkan her sözü emir bilen kendisi değilmiş gibi, tavır koyuyor üstadına.

"Yapma abi!" diyor. "Çocuğun halini görmüyor musun? Bu şarkıyı istemek için kim bilir neler yaşamış. Hem, diğerleri gibi oturduğu yerden bağıracağına, efendice getirip veriyor isteğini."

"Sorun çocukta değil," diyor Vecihi. "Arabesk müzik çalmadım bugüne kadar, söylemedim. Prensiplerimi çiğneyemem."

İplerin koptuğu an! "Öyle mi?" diyor Recep, gözleri ateş ateş, yanakları al al. "Tabii, siz nitelikli ve yüksek müzik erbabısınız. Arabesk ise tam tersine niteliksiz, yoz bir tür. Ama sorarım size, hangi türde olursa olsun müzik, duyguların notalarla, nağmelerle bütünleşmesi değil midir?

İnsanların duygularının seviye ve kalitesini ölçmek kimsenin haddi değil! Acı çekmenin yükseği alçağı, niteliklisi niteliksizi olur mu hiç? En sevdiklerinin ardından ağıt yakanların acıları birbirinden çok mu farklı? Gecekonduda oturanla villalarda yaşayan farklı mı yanar yitirdiğine? İşte bu çocuk! Anasına, bacısına, sevgilisine; her kimeyse artık, belli ki içi yanıyor. Onun çektiği acıyı aşağılayıp arabesk olarak nitelemek insafla bağdaşabilir mi?"

Susuyor Recep. Haklılığından öylesine emin ki, geri adım atacağına Vecihi Bey'le arasındaki bütün köprüleri yıkmaya hazır.

Recep'e hiçbir yanıt vermiyor Vecihi, bakışlarını ondan kaçırarak, "Hadi bakalım," diyor saz arkadaşlarına. "Teneffüs bitti. Kaldığımız yerden devam edelim işimize."

Yerlerini alıp, ikinci bölümün ilk şarkısını icra etmeye başlıyorlar...

ELLER KADİR KIYMET BİLMİYOR ANNE

Yusuf

Rastlarsan gözleri yaşlı yavruna
Suçunu bağışla sarıl boynuna
Biz bize yaşarken geldik oyuna
Eller kadir kıymet bilmiyor anne
Senin kadar kimse sevmiyor anne

Bir yâr için seni terk edip gittim
Vicdanıma bir sor ne acı çektim
Kendimi ben sana emanet ettim
Eller kadir kıymet bilmiyor anne
Senin kadar kimse sevmiyor anne

Ne sevgililer geldi geçti kalbimden
Kimse anlamıyor garip halimden
Senin hasretini duydum derinden
Eller kadir kıymet bilmiyor anne
Senin kadar kimse sevmiyor anne

Yusuf doğduğunda beş yaşındaydı Pembe. Oyuncak bez bebeklerini bir kenara bırakıp kucaklayıverdi kardeşini. Kucaklayış o kucaklayış, bir daha da hiç bırakmadı. Yusuf'sa gözünü açtı, Pembe'yi gördü. Kanları kanlarına, canları canlarına kaynamıştı bir kere. Minicik bedenlerine bakmadan, bölünmez bir bütünün parçaları oluverdiler.

Ne babalarının şefkatten uzak, sevgisiz, katı davranışları, ne de babalarının birer kopyası olmaya aday, kendi kısır dünyalarının içine hapsolmuş ağabeylerinin sevgiden yoksun, uzak duruşu etkiliyordu onları. Evin etkisiz bireyi olmaktan öteye geçemeyen, hiçbir konuda fikri sorulmayan, sözü dinlenmeyen, her fırsatta itilip kakılan anneleriyle gizli bir dayanışma içinde, terazinin kefesine konulduğunda tüy kadar ağırlığı olmayan, iddiasız, kendi halinde bir üçlü oluşturmuşlardı.

Babaları İsmail Efendi –mahalleli böyle çağırıyordu onu– çarşı meydanında kahvehane işletiyordu. Babasından devraldığı, otuz yıllık bir altın bilezikti kahvecilik. Büyük oğulları Nusret'le Nevzat'a da yanı başında büfe açmış, evlendirmiş, ev bark sahibi yapmıştı ikisini de.

Hayır, çocuklarından hiçbirini okutma gereği duymamıştı İsmail Efendi, ilkokulu bitireni çekip almıştı okuldan. Nusret de, Nevzat da ses etmemişti ama en ufakları, Yusuf yumurcağı, başını yastığa bastırıp gecelerce ağlamıştı yatağında. Onun sesini duymazdan, karısının yalvaran bakışlarını görmezden geldi İsmail Efendi. Yusuf'u çırak aldı yanına. Vakitlice işi öğrensin, hamlıktan pişkinliğe adım adım yürüsün diyerek.

Kahvehanedeki çalışanların hepsinden ağırdı Yusuf'un işi. Hem kahvehanede oradan oraya koşturuyor, hem yan taraftaki, ağabeylerinin ortak çalıştırdıkları sandviç büfesinin ayak işlerine bakıyordu. Kahvehane için çay, şeker, kahve, deterjan mı alınacak, çevre dükkânlardan sipariş verilen sıcak soğuk içecekler yerlerine mi ulaştırılacak, hepsi Yusuf'un sırtınaydı. Bu kadarı yetmezmiş gibi, eleman eksiği yüzünden, büfeye gelen siparişlerin verilen adreslere iletilmesi de Yusuf'un üstüne kalmıştı. Zaman içinde "Yedekçi" diye anılmaya başlanmıştı Yusuf. Joker gibi, nereye konursa o işe yarıyordu ya.

"Hadi Yedekçi, al şu paketi şu adrese yollan bakalım!", "Ense yapmak yok, fırla hemen Yedekçi! Müşteri sipariş bekliyor."

İşte bu yüzden, kendisinden nüfus cüzdanı istemeyen Recep'e, soyadının "Yedekçi" olduğunu söylemişti. Yaşadıklarıyla beraber, soyadını da unutmak istiyordu. Madem *yedekçi* olmaktan kurtulamamıştı, varsın adı da "Yusuf Yedekçi" olarak anılsındı.

Ezenler ve ezilenler... Aynı ailenin içinde, ayrı kutuplarda yaşıyor gibiydiler. İsmail Efendi'yle iki büyük oğlu Nusret ve Nevzat *ezenler*, Pembe, Yusuf ve anneleri de *ezilenler* rolünü öylesine benimsemişlerdi ki, hiçbiri yerinden ve konumundan şikâyetçi görünmüyor, kurulu düzeni değiştirmeye yeltenmiyordu. Ezenler zaten memnundu gidişattan, ezilenlerin ise seslerini yükseltmeye ne niyetleri vardı, ne de cesaretleri. Böyle gelmiş, böyle gidecekti işte...

Ancak, hiç hesapta olmayan gelişmeler kurulu dengeleri sarsmakta gecikmedi. Talip çıkmıştı Pembe'ye! İsmail Efendi'nin kahvehanesinin tam karşısındaki beyaz eşya bayii, ki kendisi İbrahim Efendi'nin yirmi yıllık arkadaşıydı, karısının ölümü üzerine yeni eş arayışına girmiş, gözünün görüp gönlünün beğendiği ilk aday da, işyeri komşusunun yeniyetme kızı Pembe olmuştu.

Kızcağız henüz on yedisinde bile değilmiş, talibi olacak adam kendisinden en az otuz yaş büyükmüş, üstüne üstlük ikisi erkek üçü kız, beş çocuğu varmış evde... Ne gam! Varidatı yerindeydi ya. Parası pulu, arabası evi... Böyle kısmet herkesin başına konmazdı.

Önce karısına söyledi İsmail Efendi, kızlarına yağlı bir talip çıktığını. Yok, ana olarak onun da fikrini almak için falan değil! Haberli olsunlar, birkaç gün sonra gelecek görücülere iyi hazırlansınlar diye.

İlk kez isyan etti Pembe. "O adama varmam ben!" diye çığlıklar attı. Annesinin üzerine ikinci bir deri gibi yapışmış suskunluğuna, kaderciliğine, boyun eğişine karşı çıktı. "Yeter!" dedi. "Babam yaşında, beş çocuklu adamla evleneceğime ölürüm daha iyi."

Annesi gibi ezilmeye şartlanmış, ezilmeyi kader bellemiş Pembe'yi yüreklendiren, mühür vurulmuş dilini çözen geçerli bir nedeni vardı: Sevdalanmıştı Pembe! Karşı tarafta oturan teyzesine bayram ziyareti için gittiklerinde karşılaşmışlardı Mustafa'yla, Ahmet eniştenin uzaktan akrabasıydı. Ekmek fırınında ateşçi olarak çalışıyordu. Kendi yağında kavrulan bir aileden geliyordu, zengin değillerdi.

"Ekmeğimi taştan değil, ateşten çıkarıyorum ben," diyor ve yaptığı işten gurur duyuyordu Mustafa. Gözü pek, dürüst, efendi bir gençti. Görür görmez vurulmuştu Pembe'ye. Ne İsmail Efendi'nin uzlaşmazlığı, ne de ağabeylerinin efelenmeleri korkutuyordu gözünü. "Zamanı gelsin, çekip alacağım seni o evden," diyordu Pembe'ye.

O zaman gelmişti işte! Biraz erken olmuştu, hazırlıksız yakalanmışlardı ama, olsun. Haberciler gönderildi İsmail Efendi'ye, kızınıza talibiz denildi.

Hop oturup hop kalktı İsmail Efendi. Mustafa ve Mustafa'nın ailesi kim oluyordu da, kızlarını isteyecek cesareti kendilerinde bulabiliyorlardı. İki dünya bir araya gelse, Pembe'yi Mustafa'ya vermezdi babası! Nusret'le Nevzat da, zaten heyheyleri gelmiş babalarını daha da kışkırtmak için ellerinden geleni artlarına koymuyorlardı.

Hemen o hafta sonu beyaz eşya bayii Süleyman Bey'le birkaç yakın akrabası Pembe'yi istemeye geldiler. Hiç itiraz etmedi Pembe, her zamanki uysal haliyle giyindi, süslendi, görücülerin karşısına çıktı.

Bir kutu çikolata, bir demet çiçek, bir şişe limon kolonyası...

"Allah'ın emri, Peygamberin kavliyle..."

Kendisinin değil de bir başkasının sözü kesiliyordu sanki. Öylesine tepkisiz, öylesine sakindi Pembe. Annesiyle Yusuf bile şaştı onun bu ipeksi duruşuna.

Birkaç gün sonra soğuk, karlı bir kış sabahında, yatağında bulamadılar Pembe'yi. Kaçmıştı! Kendi çizdiği yepyeni çizgi üzerinde yürümeyi denemek üzere... Sevdiği gence!

Bütün hıncını Meryem'den aldı İsmail Efendi, acımasızca dövdü karısını. "Kıçı kırık bir kıza sahip çıkamadın. Bostan korkuluğu musun sen?" diyerek ağzını burnunu dağıttı kadıncağızın. İki eli iki yumruk, tırnaklarını avucunun içine batırarak, anacığının dayak yiyişini çaresizlikle izledi Yusuf.

Vurup kırmaktan yorulunca bıraktı Meryem'i İsmail Efendi. Dudağı patlamış, kaşı yarık, yüzü gözü mosmor, perişan bir halde.

Annesini yerden kaldırırken, "İyi etti ablam," dedi Yusuf. "Hiç değilse o kurtarsın kendini."

"Kurtarabilirse," diye güçlükle mırıldandı Meryem. "Hata etti ablan! Baban, abilerin sağ komazlar onu."

Neyse ki dediği gibi olmadı Meryem'in. Ezen, zulmeden, şiddet uygulayan insanların gücü zayıflara yetiyordu. Eli kolu kalkmaz karısını dövmek kolaydı İsmail Efendi için. İşin içine yabancı girince, geri adım atmasa da duraklayabiliyordu.

Mustafa ve ailesi de onlardan güçlü değillerdi, onları haklamak çocuk oyuncağıydı İsmail Efendi ve oğulları için. Ne var ki rahatlarını bozmak işlerine gelmedi. Evet, oturup konuştular; hasımlarının biletini kesmek, Mustafa'nın cezasını vermek iyi olurdu ama, kim yapacaktı bu işi? Yaşını başını almış İsmail Efendi'ye düşmezdi herhalde kızını kaçıran adamı şişlemek. Nusret ve Nevzat evli barklı adamlardı. Karıları, çocukları... Hapse düşseler kim bakardı onlara? Tetikçi tutmayı bile düşündüler.

"Şu bizim *yedekçi*," diye başladı hatta Nevzat, Yusuf'u kastederek. "İki yaş büyük olaydı..."

Onların içinde debelendikleri çözümsüzlük, Pembe'yle Mustafa'nın kurtuluşu oldu.

"Lanet olsun it herifin soyuna!" dedi Nusret.

"Benim için öldü, Pembe adında kızım yok bundan gayrı!" diyerek son noktayı koydu İsmail Efendi.

* * *

İki yıl boyunca, kimse adını ağzına almadı Pembe'nin. Ölümden beter bir yok sayışla defterden silinmişti silinmesine ama, Yusuf'un aklından hiç çıkmamıştı ablası.

Merak içindeydi Yusuf, annesi bu süre içinde hiç mi görmemişti kızını? Hangi ana dayanabilirdi bu hasretliğe? İsmail Efendi karısına yasak koymuştu, karşı tarafa kız kardeşine bile gitmeye kalksa, bacaklarını kırardı alimallah! Meryem de kızını görmeye pek hevesli görünmüyordu nedense. Öyle ki Yusuf, annesinin de babası ve ağabeyleri gibi, Pembe'nin evden kaçmasına öfkelenerek içten içe kızına kinlendiğinden kuşkulanır olmuştu. Annesi değil miydi, "Hata etti ablan!" diyen?

Belki de yanılıyordu Yusuf. Annesi, "Kaçıp kurtuldu buralardan, varsın uzaklarda olsun kızım," diye kendini avutuyor olamaz mıydı?

Kafasında burgulanan soruları hiç dillendirmedi Yusuf, yanıtlar kendiliğinden geldi... Haftalık erzak getirmek için eve her günden erken geldiği bir akşamüstüydü. Meryem de yeni gelmişti dışardan. Yüzünde farklı bir canlılık, gözleri pırıl pırıl, dudaklarında Yusuf'un nicedir unuttuğu sıcacık gülümseyişiyle karşıladı oğlunu. Boynuna sarıldı, evde ikisinden başka kimse olmadığı halde, birilerinin duymasından korkar gibi, "Ablanın bir bebeği oldu," diye fısıldadı kulağına. "Bugün gittim, gördüm," diye devam etti. "Öyle güzel bir bebek ki... Tıpkı senin küçüklüğün! Oğlan çocuğu dayıya çeker derler ya... Görsen bayılırsın."

Hemen toparladı kendini. "Görsen dediğime bakma sakın! Lafın gelişi. Sakın ha, gitmeye, görmeye kalkmayasın! Varlıklarını bil yeter."

Karmakarışıktı Yusuf'un duyguları. Sevinmişti tabii. Ama sevincini gereğince yaşayamamanın huzursuzluğu vardı içinde. Hele annesinin son sözleri... Kavurdu geçti Yusuf'un yüreğini:

"İyi oldu bu bebek. Hem de oğlan! Mustafa da resmi nikâhı kıyar artık."

Nasıl yani? Uğruna ölümü göze alıp baba evinden kaçarak gittiği koca evinde nikâhsız mı oturuyordu ablası? İçinde palazlanan öfkeye uyup anasına hesap soracaktı sormasına ama, nicedir yüzünde görmeye hasret kaldığı, mutluluğu andıran huzurlu ifadeyi bozmaya kıyamadı.

Meryem de ayrıntılara girmeyi gereksiz bulmuştu. Mustafa'nın ailesinin ilk günden beri Pembe'yi horladığını, "Evinden kaçan kızın nikâh neyine? İmam nikâhı başından fazla!" diyerek kestirip attıklarını bilmese de olurdu Yusuf.

Bir yıl daha geçti aradan. Hem ablasını, hem de henüz yüzünü bile görmediği, yalnızca varlığından haberdar olduğu, annesinden duyduğu kadarıyla tıpatıp kendisine benzeyen minik yeğenini, Umut'u için için özlüyordu Yusuf. Annesiyle bile paylaşmıyordu içinden geçenleri. Bu duruma nasıl çözüm bulacağını düşünürken... özledikleri ayağına geliverdi!

Aralanan kapının ardında kucağında bebesi, elinde soğuktan keçeleşmiş parmaklarıyla kavramaya çalıştığı küçük bir el çantası, ha yıkıldı ha yıkılacak bir perişanlık içinde, öylece duruyordu Pembe. Üç gündür aralıksız yağan karın sonrasında havanın ayaza çekmesiyle donup kalmış buzdan bir heykel gibi. Yüzü gözü mosmor, mum beyazı cildinin üzerinde harelenen açıklı koyulu kızarıklıklar, morlukların arasına yayılmış...

Keskin ve acılı bir çığlıkla karşıladı kızını Meryem. Onu bu halde görmenin kahredici şaşkınlığıyla, kızını ve torununu içeriye aldığı takdirde neler olabileceğinin ürküntüsü arasında kısa bir gelgit yaşadı... Kollarını açıp sımsıkı sarıldı yavrularına. İçeri geçtiler hep beraber.

Kısaca anlattı durumunu Pembe. Kaynanasının, uzaktan akraba bir memleketlisinin kızıyla Mustafa'yı nikâhlamaya kalktığını, zaten ilk günden Pembe'yi istemediklerini, her fırsatta horladıklarını, bebek doğduktan sonra da hiçbir şeyin değişmediğini, kaynanasının, "Kulağının arkasını görürsün, resmi nikâhı göremezsin!" diyerek çocuğuyla beraber kapının önüne koymaya kalkışmasını, karşı gelince tekme tokat acımasızca dövüldüğünü... Mustafa'nın bütün bu olanlara seyirci kalmasını, hatta birkaç okkalı tokatla annesini destekleyerek, "Defol bu evden!" diye haykırdığını...

Nutku tutulmuştu Meryem'in. Ne yapacaklardı şimdi? İsmail Efendi ne diyecekti bu işe? Ya o iki deli oğlan?

"Keşke buraya gelmeseydiniz!"

İstemsizce dökülmüştü dudaklarından. Gerisi geldi. "Seni burada barındırmazlar. Baban, ağabeylerin..."

Barındırmazlar yerine yaşatmazlar diyecekti aslında. Evden giderken neyseydi de, bu dönüş hepsini yakacak, kavuracak derecede güçlü bir darbeydi üzerlerine inen...

İsmail Efendi sokak kapısının eşiğinde, kar sularıyla ıslanmış altı kauçuk ayakkabılarını çıkarıp Meryem'in önüne koyduğu müflonlu terliklerini giyerken, duvara tutunarak yürümeye çalışan, birkaç acemi adımın ardından kendini yere atıp emek-

leye emekleye ayağının önüne kadar gelen kıvırcık saçlı, al ya-
naklı çocuğa hayretle baktı. Alışık olduğu bir durum değildi
bu. Gündüzleri Meryem'in konuğu olan komşular, eş dost, İs-
mail Efendi ile karşılaşmamak için akşamüzeri oldu mu, erken-
den evlerine dağılırlardı. Kimdi bu saate kadar oturup minder
çürüten densiz misafir?

"Kim var içerde?" diye sordu en aksi haliyle.

İsmail Efendi'nin paltosunu alıp vestiyere astı Meryem.
"Pembe..." diye geveledi ağzının içinde. "Oğlanı almış gelmiş.
İznin olursa elini öpecek."

Kulaklarına ulaşan sözlere inanamamış gibi, gözleri yu-
valarından fırlayacak şaşkınlıkta, birkaç saniye öylece ayakta
dikili kaldı İsmail Efendi. Sonra Meryem'in korkudan küle dön-
müş yüzüne, ardından da ayaklarının dibinde debelenen bebe-
ğe baktı.

"Hangi yüzle gelmiş evime!" diye gürledi. "Benim için çok-
tan öldü o. Al şu it eniğini de ayağımın altından! Gözüm görme-
sin ikisini de."

Eğilip kucaklayıverdi oğlanı Meryem. Ne yapacağını bile-
mez bir halde son bir umutla İsmail Efendi'ye baktı. Kucağında
tuttuğu bebe ikisinin de torunuydu. Onun varlığı, dedesinin
taşlaşmış kalbini yumuşatabilir miydi acaba?

"Benden uzak dursunlar, gözüme gözükmesinler... Ne ha-
liniz varsa görün!"

Bu kadarı bile Meryem'i sevince boğmaya yetti. Kızını,
torununu kapının önüne koymamıştı ya İsmail Efendi! Zaman
içinde öfkesi yatışır, yüreği yumuşar, affederdi kızını belki.

Umutla, sevinçle, coşkuyla nicedir kullanılmayan tavan arasını açtı, çatıyla zemin arasındaki daracık boşluğa yer yatağı serdi kızıyla torunu için. Bir süreliğine böyle idare edeceklerdi. Sonrasında Allah kerimdi...

Pembe'yle Umut geleli bir hafta olmuştu. İsmail Efendi'nin emir buyurduğu gibi, asla ayak altında dolaşmıyor, mümkün olduğunca ses çıkarmıyorlardı. Umut ağlayacak olsa, ağzına hemen emziğini tıkıştırıyor, sallayarak, göğsüne bastırarak avutmaya çalışıyordu çocuğu Pembe. Babasının evde olduğu saatlerde, gürültü olmasın diye yere bile bırakmıyordu Umut'u.

Sabahları İsmail Efendi kahvehaneye gitmek üzere evden çıkar çıkmaz, Pembe de bebeğini alıp aşağıya iniyordu. Gün boyu evin içinde annesiyle vakit geçirip akşam saatlerinde yeniden tavan arasına çıkıyordu.

Yusuf, ablasını ve Umut'u görebilmek için sabahları işe geç gitmeye, akşamları eve babasından erken dönmeye çalışıyordu. Pembe ve Umut, onun tekdüze, kısır yaşantısına bambaşka bir renk getirmişlerdi.

Meryem yaşadığı bir yanı eksik ve buruk mutluluğun böyle süremeyeceğini bilse de, kızı ve torunuyla aynı çatı altında olmanın ötesinde özgürce yaşanacak bir beraberliği hayal edemese bile bu kadarına razı, dudakları kıpır kıpır kâh Tanrı'ya şükrediyor, kâh sonrası için dualar ediyordu. Yusuf annesi kadar umutlu ve iyimser değildi. Onun göremediklerini görüyor, yaşayamadıklarını yaşıyordu çünkü. Evet, evin içi sakindi görünürde ama, dışarıda rüzgârlar sert esiyordu. Özellikle de İsmail Efendi'nin kahvehanesinde ve yakın çevresinde...

Pembe'nin çocuğunu alıp baba evine sığındığının hemen ertesi sabahı aile içi kazanlar kaynamaya başlamıştı. İsmail Efendi'nin Nusret'le Nevzat'ı alıp kahvehanenin arka tarafındaki küçük odaya –İsmail Efendi kalabalıktan bunalıp dinlenmek istediğinde oraya çekilip şekerleme yapardı– kapanarak durum değerlendirmesi yapmaları, Yusuf'un dikkatinden kaçmamıştı. Bir seferle kalsaydı neyseydi, sık aralıklarla yinelenir olmuştu bu üç kişilik toplantılar. Başlangıçta odadan çıktıklarında renk vermeyen yüzler gitgide asılıyor, uzun süredir suskunluğunu koruyan sırdaş diller, içlerindeki zehri dışarı saçmaya meylediyordu.

Çevrenin kışkırtması, zaten var olan kor ateşi, üzerine benzin dökülmüşçesine alevlendiriyor, taşmak üzere olan sabırları dalga geçer gibi acımasızca sınamaya kalkıyordu. Daha ilk günden duyulmuştu, Pembe'nin kucağında bebesiyle baba evine döndüğü. Kaçarak evlenen -evlenmek de denmezdi buna! Arada resmi nikâhın olmadığı çoktan dillere düşmüştü- şimdi de gerisingeriye gelip baba evinden medet uman kızı hakkında ne düşünüyordu İsmail Efendi? Bunca olup bitenden sonra affedip bağrına basabilecek miydi Pembe'yi? Tut ki bağrına bastı, içine siner miydi böylesi bir durum? Dicle kıyılarında büyümüş, o yörenin suyunu içmiş, havasını koklamış koskoca İsmail Efendi'ye yakışır mıydı bütün bunlar?

Soruların hedefindeki yalnızca İsmail Efendi değildi. Nusret'e, Nevzat'a, hatta Yusuf'a bile yöneltiliyordu benzer imalı sorular. Eski günlerdeki saygı, hatta söz konusu İsmail Efendi olunca korkuya dayalı bir ölçülülük içeren bakışlar, gitgide alaycı bir çehre kazanmaya başlamıştı.

Bir zamanlar Pembe'ye talip olan Süleyman Bey'in aşağı mahallede oturan, olanları duyunca yemeyip içmeyip soluğu kahvehanede alan amca oğlunun dedikleri, bardağı taşıran son damla oldu.

"Ee İsmail Efendi, senin kız bir gitti, iki döndü ha! Bereketin böylesi düşman başına. Kucağı boş değil, dolu dönmesi önemli değil de... Bebenin babası olacak herif, nikâh kıymamış diyolar. Ne düşünüyon? Sen mi nüfusuna alacan çocuğu? Yazıktır, *piç* kalmasın gariban..."

"Sen benim karşımda konuşacak adam mısın lan hergele!" demesiyle adamın yakasına yapışması bir oldu İsmail Efendi'nin. Suratına kafa attı, dizini karnına vurmasıyla iki büklüm olan hasmını yumruk darbeleriyle duvara yapıştırdı. Zor aldılar adamı elinden.

Koşup ağabeylerini çağırdı Yusuf. Nusret'le Nevzat, kavga seyretmenin keyfine dalmış kalabalığı yarıp, İsmail Efendi'nin bir koluna biri, diğer koluna diğeri girerek, kahvehanenin gerisindeki küçük odaya sürüklediler babalarını.

Bu seferki "arka oda toplantısı" her zamankinden de uzun sürdü. Dışarı çıktıklarında, üçünün de yüzünden düşen bin parçaydı.

"Akşama bekliyorum," dedi İsmail Efendi oğullarını uğurlarken. Konuşacaklarını, tartışacaklarını bitirememişlerdi besbelli...

O akşam, diğer akşamların aksine, gelir gelmez üstündekileri çıkarıp pijamalarını giymedi İsmail Efendi, öylece oturdu yemeğe. Masadan kalkınca da oturma odasındaki televizyonun karşısına geçeceğine, misafir odasına doğru yürüdü.

"Oğlanlar gelecek," dedi Meryem'e. "Onlarla içerim kahveyi."

"Nurten'le Selma da gelecek mi?" diye sordu Meryem. "Çocuklar?

"Gelmeyecekler. Erkek erkeğe konuşacağız."

Soluverdi Meryem'in yüzü. Alışkındı aslında böyle erkek erkeğe konuşmalara. Nusret'le Nevzat karılarını, çocuklarını alır gelirler, onlar babalarıyla iş ve para konuşurken, kadınlar ve çocuklar oturma odasında vakit geçirir, sonra da hep beraber çay kahve içer, meyve yerlerdi. Ama bu kez farklı bir şeyler vardı buluşmalarında. Meryem'i fazlasıyla tedirgin eden bir şeyler...

Salona girip kapıyı sıkıca kapatmalarının üzerinden yarım saat geçti geçmedi, Nevzat dışarı çıkıp, "Hadi bakalım Yedekçi," dedi Yusuf'a. "Erkekler safına katılmanın zamanı geldi."

Bir eli Yusuf'un omzunda, diğeriyle sıkı sıkıya kolunu tutmuş, salona doğru yürüdüler beraberce. Arkalarından kapattıkları kapıya ürküntüyle baktı Meryem. Tüm kanı çekilmiş yüzü, bembeyaz dudakları, sıtma tutmuş gibi garip bir titremeyle sarsılan bedeniyle, ruhunu o an teslim etmiş bir ölüden farksız, yığılıverdi oracığa.

"Gel bakalım Yusuf! Otur şöyle."

Babasının yüzünde görmeye alışık olmadığı sevecen ifadeyi neye yoracağını bilemedi Yusuf. Nusret ağabeyinin, "Sen de ailenin erkeklerinden birisin ve hepimizi ilgilendirecek önemli kararlar alınırken yanımızda olmalısın," demesiyle daha da şaşırdı.

"Artık *yedekçi* değil, asil üye olma yolundasın," diyerek yanağına şakacı bir şaplak indiriveren Nevzat'a boş gözlerle baktı Yusuf.

Neler olduğunu anlayamasa da, gördüğü abartılı izzet ikramdan huzursuz, sesini çıkarmadan konuşmaları dinlemeye koyuldu. İlginç olan, her konuşanın hedefinde kendisinin olmasıydı, hepsinin tek muhatabı Yusuf'tu.

"Bak oğlum," dedi İsmail Efendi. "Kaç yıldır çektiğimiz çileyi biliyorsun. Ablan olacak o kaltak ailemize büyük bir leke sürdü, başımızı eğik koydu."

Sözü babasının ağzından alarak, "Her yanlış davranışın bir cezası olmalı, öyle değil mi?" diye devam etti Nusret. "Biz üçümüz uzun uzun düşündük, tartıştık ve bir sonuca vardık."

Kısa ama derin bir sessizliği soludular hep beraber. Nefesler tutuldu, Nusret'in iki dudağının arasında düğümlenip kaldı bakışlar.

"Zor oldu bu kararı vermek ama mecburduk. Yüzümüzü kara etti bacımız, el âlemin yüzüne bakacak yüz bırakmadı hiçbirimizde. Evden kaçtı, kocaya gitti güya. Defterden silelim gitsin dedik... Yaptıkları yetmezmiş gibi, nikâhsız yaşadığı heriften peydahladığı piçle kapımıza dayandı. Olacak iş mi bu?"

Söylediklerinin Yusuf üzerindeki etkisini ölçmek ister gibi duraklayıp, kaldığı yerden devam etti.

"İffetsizliğin tek cezası var töremizde. O da ölüm! Evet, bu kız ölecek! Başka yolu yok..."

"Hayır!" diye haykırıverdi Yusuf. "Bu ceza çok ağır. Her ne olursa olsun, ölmeyi hak etmiyor ablam. Hayır!"

Bekledikleri bir tepkiymiş gibi, fazla umursamadan sakinleşmesini beklediler Yusuf'un.

"Bugün kahvehanede yaşananları gördün," dedi İsmail Efendi. "Kapımda hizmetkâr olamayacak adam kalkmış, namusuma laf ediyor. Haklı! Diyecek söz var mı? Yok! Şom ağızları susturacak tek çare, bu pisliğin kökten temizlenmesi."

"Bir şans tanıyın ona," diye umarsızca sızlandı Yusuf. "Çocuğunu alıp uzaklara gitsin, yeni bir hayat kursun kendine. Çalışır, çabalar ekmeğini kazanır."

Öfkeyle kesti Nusret.

"Sokağa salıverelim de iyice orospu olsun ha?"

Ağabeyini duymamış gibi, "Hem belki kocasıyla barışır," diye devam etti Yusuf. "Çocuğuna sahip çıkar adam."

"Ne kocası oğlum, nikâh bile kıymamış herif!" diye kabaca güldü Nevzat. "Kapının önüne koymuş işte adam... Bu durumda kararımızı uygulamaktan başka çaremiz yok."

"Yapamazsınız! Cinayet bu!" diyerek ağlamaya başladı Yusuf.

"Biz yapmayacağız zaten," diye susturdu Nusret. "Sen yapacaksın!"

"Ne! Deli misiniz siz? Nasıl yaparım böyle bir şeyi? Nasıl kıyarım ablama?"

"Zırlamayı bırak!" dedi Nusret. "Kes sesini de beni iyi dinle... Dört erkeğiz şurada. Bu yaşında babama düşmez bu iş. Nevzat'la ben desen, evli barklı adamlarız. Geride çoluk çocuk... yaşımız belli. Taammüden cinayete girer, cezamız ağır olur. Sense, on sekizine girmedin henüz. Az bir cezayla kurtarırsın."

"Cezanı çekip çıktığında işin hazır olacak," diyerek araya girdi İsmail Efendi. "Ağabeylerinin dükkânı var, seninki de hazır. Kahvehaneyi sana bırakır bir köşeye çekilirim ben."

"Yerinde kalsın! Katil olmamı istiyorsunuz benden. Yapamam! Ablamın katili olamam ben!"

"Bak oğlum," diye kesti Nusret. "Ben de bilirim o sürtüğün hakkından gelmeyi. Kıstırırım bir köşede, boğar öldürürüm, sonra da ipe çeker kendini asmış derim. Ama bize yakışmaz, bu işin de bir raconu var. Anlı şanlı bir aileyiz biz. Yolunca, yordamınca hallolmalı bu iş."

"Sana getirdiğimiz teklif, ikram sayılır aslında," diye sesini yükseltti abisi. "Yedi cihana şan olsun, İsmail Efendi'nin oğlu Yusuf ailesinin namusunu temizledi diyecekler. Göğsünü gere gere geçeceksin çarşı meydanından."

"*Yedekçi* olmaktan da kurtulacaksın koçum," dedi Nevzat. "Ailenin kıymetlisi, kahramanı olacaksın."

"Ya annem?" diyerek yeniden ağlamaya başladı Yusuf. "Yüreğine iner anacığımın."

"Hiçbi şeycik olmaz ona," diye atıldı İsmail Efendi. "Bozkırda büyüdü o. Bizim oraların töresini, âdetini iyi bilir. Kızına kesilecek cezanın ne olacağını tahmin eder. Dışarı vurmasa da, ailemizi lekeleyene en ağır cezanın verilmesini için için o da ister. Kendisine sor inanmazsan."

"Olmaz öyle şey! Evladının ölmesini, hem de diğer evladı tarafından öldürülmesini hangi anne ister?"

"Tamam, anadır, içi yanar, doğru. Bedeninden can gider evladı ölünce. Ancak... farklı bir durum var ortada. Kangren olmuş, işe yaramaz, işlev görmez bir kolu ya da bacağı kesmek gibi bir şey bu. Keseceksin ki, beden kurtulsun. Ki, o ana da başı dik, alnı açık el içine karışabilsin."

Yüzünü buruşturdu İsmail Efendi. "Senin o anan sünepe bir karı olmasaydı, bizden önce keserdi kızının biletini," dedi aşağılar gibi. "Pöhöö... bizim oralarda yeniyetme oğullarının eline tabancayı tutuşturup, 'Hadi!' diye komut veren ne kadınlar var..."

Tabanca lafı bile Yusuf'u perişan etmeye yetmişken, Nusret ağabeyinin yanında getirip masanın üzerine koyduğu, ilk bakışta ne olduğu anlaşılmayan kutuyu açarak, katran karası tabancayı çıkarmasıyla beti benzi attı oğlanın.

"Yapamam!" diye yineledi. "Elimi bile sürmem o tabancaya ben. Vazgeçin ablamı öldürmekten. Onun yerine çekin beni vurun. Sesimi çıkarırsam namerdim."

"Sakin ol be oğlum!" dedi İsmail Efendi. "Yapacaksın dedikse, hemen demedik ya. Biz bile karar alıncaya kadar günlerce konuştuk. Senin için çok yeni. Kafanda ölç, tart, alışmaya çalış."

Nusret kalktı, elindeki tabancayla misafir odasının dibindeki yüklüğe doğru yürürken, "Gel buraya," dedi Yusuf'a. Pamuk ve yün şiltelerin, sıra sıra yorganların, yastıkların dizili olduğu yüklüğün en alt rafındaki şilteyi kaldırıp tabancayı kılıfıyla beraber, geriye doğru özenle yerleştirdi.

"Sana üç gün müsaade!" dedi. "Önce kendini bu işi yapacağına inandır. Şu saat, şu dakika diye bir şart koşmuyoruz. Hazır olduğunu hissettiğinde harekete geçersin."

Hepsi birden ayağa kalkmışlardı. Babası, ağabeyleri o güne kadar hiç görmediği bir sevgi-şefkat yarışına girmişler gibi, omzunu, kolunu, başını okşayarak son komutlarını sıralıyorlardı.

Cebinden bir tomar kâğıt para çıkardı İsmail Efendi, Yusuf'un cebine tıkıştırdı. "Yarın işe gelme," dedi. "Yalnız yarın değil, üç gün iş yok. Gez, toz... Ne istersen yap. Ama üzerine düşen görevi de unutma!"

* * *

Kendisini *yedekçi* olmaktan kurtaracak kutsal görevi yerine getirmekle şartlandırılan Yusuf, o gece sabaha kadar uyuyamadı. Babası, ağabeyleri, kucağında bebesiyle ablası... Ve boynu bükük annesi! Gözlerinin önünden geçip durdular. Kâh tören yürüyüşündeymiş gibi belli bir düzen içinde, kâh düzensiz, uyumsuz, karmakarışık bir kalabalık halinde. Arada bir içi geçip ürkek uykulara daldığında, parlak siyah tabancalar uçuştu gözlerinin önünde. Beyninin içinde patlayan kurşun sesleriyle fırladı yattığı yerden defalarca.

Sabah işe gitmedi. Pembe'nin mutfakta hazırladığı kahvaltı masasına oturdular annesiyle beraber. Ne annesi, ne de ablası sordu Yusuf'a neden işe gitmediğini. Birbirlerinden kaçırdıkları, hayali, ortak bir noktada buluşup ayrı yönlere dağılan bakışlar... dalıp dalıp giden gözler... yüreklerinden yükselip dudaklarının ucuna geldiğinde yapay gülüşlere dönüşen hıçkırıklar...

Meryem, Pembe ve Yusuf.

Neler olup bittiğinin farkındaydı hepsi. Üzerlerine çöken kâbusu yadsıyarak, üç kişilik özel bir tiyatro oyunu oynuyorlardı. Rollerinin hakkını vererek, zaman zaman da birbirlerinden rol çalarak.

Daha fazla kalamadı Yusuf. Kapıyı çekip çıktı, yollara vurdu kendini. Amaçsızca, hedef belirlemeden yürüdü, yürüdü, yürüdü... Ayaklarında hal, dizlerinde mecal kalmayınca parktaki bir kanepeye yığıldı kaldı. Geceden beri içinde biriktirdiği zifir, boğazında düğümlü tuttuğu hıçkırıklar, acılı birer çığlık olup dökülüverdi dudaklarından. Kim görür, kim duyar zerrece umursamadan haykıra haykıra ağladı. Biraz yatışınca, "Ağlamakla sızlamakla bir yere varamazsın Yusuf Efendi!" diye söylendi kendi kendine.

Küçük büyük, hiçbir canlıyı öldürmemişti o güne kadar. Sinek bile öldüremeyen yumuşak huylu bir çocuktu küçüklüğünde. Mahalle arkadaşları, kedilerin kuyruklarını keserek, hatta gözlerini oyarak eziyet ederlerken, uzak durmuştu bu tür sapkınlıklardan. Yapısına tersti.

Kediye köpeğe, böceğe sineğe dokunamazken, yetişkin bir insanı, hem de canı kadar sevdiği ablasını öldürmesini istiyorlardı ondan. Asla yapamazdı, mümkün değildi! Kendisini öldürürdü de ona dokunamazdı.

Nasıl bir çare bulup da kurtulabilirdi bu işten? Yalnız kendisini kurtarması da yetmiyordu üstelik. Çekip gitse, kayıplara karışsa, geride kalanlar bir şekilde öldürecek ya da öldürteceklerdi ablasını.

Pembe'yi buralardan uzaklaştırmak, kimselerin bulamayacağı bir yerlere götürmek... Bak işte bu olurdu! Ama, nasıl becerecekti bu işi Yusuf? Cinayet işlemesi için ağzına sürülen bir parmak bal niyetine cebine tıkıştırılmış üç kuruşla mı halledecekti bütün bunları?

Mustafa'ya gitse, Pembe'nin hayırsız, iflahsız, sözde kocasına... Olmazdı! O adam değil miydi Pembe'yi kaçtığı eve geri göndererek, onu bile bile namlunun hedefine yerleştiren? Hayatının merkezine *töreyi* oturtmuş Güneydoğulu geleneksel bir ailenin, evden kaçıp sonra da kucağında bebesiyle geri dönen kızlarına reva göreceği cezayı kestiremiyor muydu?

Parktan çıkıp çarşının içine doğru yürümeye başladı Yusuf. Görmeyen gözlerle mağazaların, dükkânların vitrinlerine bakıp aylak aylak dolanıyordu. Vitrinlerden birindeki mankenin üzerinde beyaz, önü nakışlı bir kazak gördü. Bir an Pembe'yi hayal etti kazağın içinde... Hemen içeri girdi. Kazakla beraber, göğüs kısmındaki işlemelerin rengine uygun, pembeli beyazlı bir de fular seçti, sardırdı. Ablasına aldığı ilk armağandı!

Minik yeğeni düştü aklına. Umut! (Bu adı koyarken, çocuğunun, varlığıyla kendisine umut olacağını mı düşünmüştü ablası?) Umut'a kendisi gibi minik; tüylü bir ayıcıkla kırmızı, yürürken ışıklar saçan bir araba... Anneciğine de ayaklarını sıcak tutacak, burnu kapalı yumuşacık terlikler...

İlk kez cebine konan paradan, ilk kez yaptığı harcamalardı Yusuf'un.

Annesi açtı kapıyı. "Hoş geldin," dedi, sarıldı öptü Yusuf'u. Elindeki paketleri görünce gözleri ışıdı, sevindi. "Ispanaklı börek yaptı ablan," dedi. "Bir de senin sevdiğin tarçınlı kurabiyelerden. Çay da demledi... Tam zamanında geldin."

Önce armağan paketleri açıldı. Numarasını bilmeden almıştı ama, terlikler tam oturmuştu annesinin ayağına. Sıralamakla yürümek arasında kararsızca gidip gelen Umut, bayılmıştı dayısının aldığı oyuncaklara. Bir eliyle ayıcığını tutarken, diğer eliyle de kırmızı arabasını yakalamaya çabalıyor, beceremeyince basıyordu yaygarayı...

Pembe de hiç üşenmeden tavan arasına çıkarak, üstündeki bluzu çıkarıp Yusuf'un aldığı beyaz kazağı giydi, fularını bağladı boynuna.

Şöyle bir baktı Yusuf... Düşündüğünden de çok yakışmıştı bu giysiler ablasına.

"Sağ ol," dedi Pembe buruk bir gülüşle. "Zahmet etmişsin. Ne gerek vardı?" Sonra da başını önüne eğip, "Nerede, ne zaman giyeceğim ki bunları?" diye mırıldandı.

Pembe'nin dilinden dökülen sözler kor ateş oldu, yuvarlandı, Yusuf'un yüreğine saplandı.

"Kıyamam sana ablam!" diye haykırdı o yürek.

Sözün bittiği yerdeydiler. Garip bir suskunluk sardı üçünü de. Ocağın üstündeki çaydanlığın fokurtusundan başka ses duyulmuyordu. Bir de Umut arada bir arabasını yere vurduğunda bölünüyordu üzerlerine çöken sessizlik.

Her şeyin farkındaydı Pembe. İdam kararı çoktan verilmişti, ipi kimin çekeceği de belliydi. Hep böyle olmaz mıydı? Ailenin en küçüğünün omuzlarına yıkılırdı namus lekesini temizlemek...

Eli titredi Yusuf'un tabağına börek dilimini koyarken. Zavallı Yusuf! Zavallı kardeşi... Pembe'den de zordu onun işi. Nasıl becerecekti bu ağır yükün altından kalkmayı? Diyelim ki becerdi, yazık değil miydi gencecik, fidan gibi çocuğa? Katil olacaktı, abla katili! Törelere göre bir leke silinecekti ama, silinmesi mümkün olmayan, ömür boyu sabit kalacak bir başka leke yapışıp kalacaktı Yusuf'un alnına. Cinayetin ne için, hangi nedenlerle işlendiğine bakılmazdı büyük şehirlerde. Törenin getirdiği yaptırımlar da gereksiz ve saçma gelirdi buraların insanına. Cinayet cinayetti, katil de katil. Hayata hükmen mağlup olarak atılacaktı Yusuf...

Ölüp gitmek kurtuluştu Pembe için. Korkmuyordu hiç. Bir çocuğunu düşünüyordu, bir de Yusuf'u. Annesi bile bir adım geriden geliyordu. Canıydı Yusuf, kardeşten öteydi. Küçük annesiydi onun Pembe, dili ilk çözüldüğünde seslendiği gibi, "aba"sıydı... Pembe'nin ardından, yaşayan bir ölüden farkı kalmayacaktı Yusuf'un.

"Kıyamam sana Yusuf'um!" diye sızladı yüreği.

* * *

Meryem'in gözleri, terliğinin ekose desenine takılı kalmıştı. Güçlükle toparladığı ezinç yüklü bakışlarını Yusuf'la Pembe arasında bölüştürdü. Garip bir şekilde suçlu hissediyordu kendini. Dokuz ay karnında büyütüp beslediği, kanından canından çok sevdiği iki evlat, üstelik delicesine düşkünler birbirlerine... Ne var ki birinin ölüp toprağa girmesi, diğerininse onun katili olması yazılmıştı kaderlerine. İşin kötüsü, kendi kanlarından, kendi canlarından birileri vermişti bu kararı.

Ve Meryem, eli kolu bağlı, seyirci kalıyordu olanlara. İçin için kahrolmaktan öte bir şey gelmiyordu elinden. "Kıyamam sana Yusuf'um... Kıyamam sana güzeller güzeli kızım!" demekten başka.

Çayları doldurdu Pembe. Bir yudum çay, bir lokma börek, tepsiler dolusu kahır! Sıra sıra dizildi boğazlarına...

Ertesi günü de annesi, ablası ve Umut'la geçirdi Yusuf, hiç dışarı çıkmadı. İşten izin almış, izin süresini evde, sevdiklerinin yanında geçirmek isteyen bir devlet memuru gibi.

Üçüncü gün akşamüzeri acı acı çalan telefonla irkildiler. İsmail Efendi'ydi arayan, Yusuf'u dükkâna çağırıyordu.

Soluverdi yüzler. Bu çağrının ne anlama geldiğini biliyordu üçü de. Verilen idam kararının infaz zamanı gelmişti. Meryem'in gözlerine oturmuş korkunun, yüzündeki panik ifadesinin aksine, Pembe sakin görünüyordu. Sımsıkı sarıldı Yusuf'a, kokusunu içine çekti kardeşinin. "Güle güle git," dedi. "Beni düşünme. İyiyim ben."

Umut'u kucakladı, tavan arasındaki derme çatma sığınağına çıkmak üzere merdivene attı ayağını. Gerisingeriye dönüp annesine sarıldı bu kez de. "Sen de benim için tasalanma artık," diyerek gülümsedi. "Dedim ya, iyiyim ben."

Yusuf merdivenleri ağır ağır çıkan Pembe'nin arkasından dalıp gitti... Eskilere, ablasıyla saklambaç oynadıkları, ablasının tavan arasındaki boşluğa saklanmak için merdivenleri tırmanırken Yusuf'a yakalandığı cıvıltılı, tasasız çocukluk günlerine... Gözünün önünde beliren tabloya isyan eder gibi sert bir el hareketiyle siliverdi eski film karelerini. Sokak kapısını açıp kış ayazının koynuna attı kendini.

Tahmin ettiği gibiydi Yusuf'un. Babası ve iki ağabeyi, zamanın geldiğini vurgulamak için çağırmışlardı onu. Önce hal hatır sordular, haline tavrına bakıp istedikleri kıvama gelip gelmediğini yokladılar.

"Hazır mısın?" diye sordu Nusret ağabeyi. "Hatırlatmama gerek yok ama, bugün üçüncü gün!"

Anlamamış gibi, boş gözlerle baktı Yusuf.

"Duymuyor musun oğlum, sana söylüyor!" diyerek araya girdi Nevzat. "Harekete geçmek için daha ne bekliyorsun?"

"Üç gün bile fazlaydı aslında," diye lafı kaptı Nusret. "Davaya inanan adam, ikiletmeden hemen eyleme geçerdi."

"Mesele de bu ya," dedi Yusuf. "Sizin davanızın doğruluğuna inanmıyorum ben!"

Bomba düşmüştü orta yere sanki. Kısa bir şaşkınlığın ardından, "Ne diyorsun sen deyyus!" diye gürleyerek oğlunun üzerine yürüdü İsmail Efendi. Nusret'le Nevzat araya girip babalarını yatıştırdılar.

"Bacak kadar boyunla bana kafa mı tutuyorsun yezit!" diye söylevini sürdürdü İsmail Efendi. "Aha şuraya yazıyorum, kafanın dikine git, söylediklerimi yapma; bu yaşıma bakmam, seni de ablan olacak o orospuyu da kendi ellerimle öldürürüm. O

tabanca var ya, o tabanca... İçindeki kurşunların yarısı sana, ya-
rısı ona! Kardeş payı..."

"Keşke!" diye içinden geçirdi Yusuf. Ellerini ablasının kanı-
na bulayacağına, onunla beraber ölmeye dünden razıydı.

Umutlarını kesmemişlerdi henüz. İstesin istemesin, bu işi
becerecekti Yusuf! Başka çıkar yolu yoktu. Tecrübe konuşuyor-
du; ailelerinin yüz karası niceleri, ağzı süt kokan muhallebi ço-
cuğu kardeşlerinin kurşunuyla can vermişti.

"Hadi koçum, göreyim seni!" diyerek elini Yusuf'un om-
zuna koydu Nevzat. "Yüzümüzü kara çıkarma. Müjdeli haberi
bekliyoruz senden. Annen, baban, ağabeylerin; hepimiz..."

Büyük ağabey olan, Nusret, Nevzat kadar ılımlı değildi.
"Bu gece bitecek bu iş!" diye noktayı koydu. "Yarın sabaha ka-
dar becerdin, becerdin... Yoksa olacakları sen düşün!"

İçeri girer girmez hiç duraksamadan odasına doğru yürüdü
Yusuf. Yatağına girip yorganı başına çekti. Annesiyle yüz yüze
gelmeyi istememişti. Nevzat ağabeyi, "Annen, baban, ağabeyle-
rin, hepimiz müjdeli haberi bekliyoruz," derken annesinin adını
da özellikle geçirmişti. O da bizimle aynı görüşte anlamında.
Yusuf'u bir de o yönden etkilemek için.

Sahiden de annesi, babasının ve ağabeylerinin söylediği
gibi, kızının ölümünü isteyebilir miydi? Arkasından yanıp yakı-
lacağını bile bile, töreler yerini bulsun, ailenin adı temize çık-
sın diye kendi öz evladını gözden çıkarır mıydı? Hayır, böyle
bir şeyi aklından geçirmesi bile annesine yapılacak en büyük
haksızlıktı. Töre cinayetlerine karar veren bazı aile meclisle-
rinde annelerin de yer aldığını duymuştu Yusuf. Ama annesi
onlardan değildi.

Bu akşamki konuşmalardan sonra, kafasının içinde farklı ışıklar yanmıştı Yusuf'un. Ağızlarını açtıklarında mangalda kül bırakmayan babasının da, ağabeylerinin de kendi başlarına böyle bir eyleme kalkışacaklarına inanmıyordu artık. Dişini gösteren köpek havlamaz, derdi anneannesi. Dişleri hep ortada olandan korkmak niyeydi? Yusuf'u öne sürüp feda etmek kolaylarına geliyordu. Yusuf olmasa, onların dolduruşuna gelip gözünü karartarak ablasını öldürmese, hiçbirinin bir halt yiyeceği yoktu.

Böyle düşününce rahatlar gibi oldu. Kararlıydı, kılını bile kıpırdatmayacaktı. "Yapmadım, yapamadım!" diyecekti. Güçlü hissediyordu kendini, zerrece korku yoktu içinde... Gene de uyku tutmadı. Çelişkili, karmaşık, içinden çıkılmaz düşüncelerle boğuştu durdu. Kâbuslarla, karabasanlarla bölünen delik deşik bir uykuya daldığında şafak sökmek üzereydi.

Yeri göğü inletti Meryem'in feryadı. Odaların duvarlarında, pencerelerin camlarında, evin dört bir yanında yankılandı. "Gitti kızım, gitti! Pembe! Kızım..."

Fırlayıp kalktı Yusuf. "Ben bir şey yapmadım!" diye söylendi kendi kendine. "Ben bir şey yapmadım. O halde kim?..."

Tavan arasına çıkan asma merdivenlere attı kendini. Yalınayak, göreceklerinin ürküntüsüyle tiril tiril titreyerek.

Önce annesini gördü.

"Olanlar oldu Yusuf'um, kanına girdiler garibimin!" demesiyle yığılması bir oldu Meryem'in. İşte o zaman gördü asıl görmesi gerekeni Yusuf.

Kendini asmıştı ablası! Çatının hemen altındaki pervaza geçirdiği iple. Üzerinde iki gün önce Yusuf'un armağan ettiği beyaz, önü işlemeli kazak... Pembe çiçekli ipek fular boynundan kaymış, boşlukta sallanan ayaklarının tam altında öylece duruyor.

İsmail Efendi, kızının cenazesine gitmedi. "Kendi canına kıyanın namazı kılınmaz!" dedi. Başkasının canına kıymak ya da kastetmek günah değildi de, kendi canına kıymak büyük cürümdü!

Nusret ve Nevzat, ele güne karşı utanma belasına gittiler cenazeye ama, Pembe'nin cansız bedeni toprağa verilirken kılları kıpırdamadı. Mezarın üzerine kürekle toprak atan yalnızca Yusuf oldu.

Nusret ve Nevzat hâlâ hınçlarını alamamış, bütün öfkelerini bu kez de Yusuf'a yöneltmişlerdi. Hayır, böyle bir ölümü yakıştıramıyorlardı kendilerine. İçlerinden biri, ki Yusuf'u seçmişlerdi bu iş için, temizleyecekti günahlarını. Beceriksizdi Yusuf, onursuzdu, namusuna sahip çıkamayan bir alçaktı. Hayat boyu *yedekçi* olmaktan kurtulamayacaktı. Kaç yaşına gelirse gelsin, babasının, ağabeylerinin yanında zerre kadar yeri olmayacaktı. Ailenin yüz karasıydı Yusuf! Keşke o da ablası gibi ölüp gidiverseydi.

Cenaze dönüşü taziyede oturmadı hiçbiri. Yalnız kadınlar oturdular. Dualar okundu, helvalar kavruldu.

Yusuf yan odada tek başına oturdu erkek taziyesinde. Ayağında mezarlık çamuruna belenmiş botları, üzerinden çıkarmadığı parkasıyla.

El ayak çekilince baş başa kaldı ana oğul. Söyleyecek sözü kalmamış, tek kurşunla vurulmuş iki yaralı... Gözlerinden inen sicim gibi yaşlar birbirine karışıyor...

Neden sonra konuşabildi Meryem.

"Ablan sana kıyamadı Yusuf! Elini kana bulamana razı gelmedi. Nasıl olsa beni öldürecekler, bari kardeşim kurtulsun dedi."

Sanki bilmiyordu Yusuf! Böyle konuşmakla acısına acı kattığının farkında değil miydi annesi?

Birden yön değiştirdi Meryem'in ağzından dökülenler. Yusuf'u şaşırtacak derecede ilginç, kocasının "sünepe kadın" dediği Meryem Hanım'dan beklenmeyecek kadar cesur söylemlerdi.

"Çek git oğul buralardan! Huzur vermez bunlar sana. Bunca olandan sonra diken olursun gözlerine. Kaç, git kurtul. Çalış, çabala, yeni bir hayat kur kendine. Uzağımda olsan da yaşadığını, sağ, sağlıklı ve mutlu olduğunu bileyim yeter."

Yerinden doğrulup koridorun sonunda kayboldu Meryem. Döndüğünde küçük bir çıkın vardı elinde. Ağır devinimlerle çıkının düğümünü çözdü, içindeki biri burma diğeri düz iki bileziği parmaklarının ucuyla okşadı.

"Sen evlenirken gelinime takacaktım bunları," dedi. "Ama bugün daha iyi bir işe yarayacaklar."

Elini V yakalı kazağının oyuntusuna soktu, göğsünün arasından mendile sarılı bir tomar kâğıt para çıkardı. "Bir müddet idare eder seni," diyerek Yusuf'a uzattı. "Hadi, ne duruyorsun, alsana."

Başını salladı Yusuf. Ama önce, üzerindeki kirli paralardan kurtulmalıydı. Babasının cebine sokuşturduğu paranın geriye kalanını büfenin üzerine koydu. "İsmail Efendi'ye verirsin bunları," dedi.

Annesinin mendil içindeki parasını alıp cebine koyarken, "Bu yeter," dedi. "Bilezikler kalsın: Evlenmeye kalktığımda ne takacaksın gelinine?"

Sımsıkı sarıldılar birbirlerine.

"Dualarım hep seninle olacak," dedi Meryem. "Seni çok, ama çok sevdiğimi hiç unutma emi?"

Biliyordu Yusuf. Annesi onu çok, ama çok sevmese, hasretine katlanmayı göze alabilir miydi?

Ayağında çamurlu postalları, saçı başı darmadağın... çökmeye yüz tutmuş karanlığın içine yürüdü gitti Yusuf.

Annesinin, o gözden yitene kadar el salladığından emindi.

GÖNLÜ YARALI ERKEKLER

İzleyenler tarafından oluşturulan erkekler korusunda, gönlü yaralı erkeklerin çoğunlukta olduğu tartışılmaz. Gözlerinden anlıyor Recep, kendilerinden geçer gibi şarkıyla bütünleşmelerinden.

Vecihi Bey de izleyicinin nabzını iyi tutuyor doğrusu. Herkese hitap edecek istek şarkılarına yer vererek ilgiyi, coşkuyu ayakta tutmayı başarıyor. Yusuf'un yürek burkan şarkısından sonra, ikinci bölümde icra edilecek eserleri orada bulunan bütün gönlü yaralı erkeklere ithaf ediyor.

Gönül aşkınla gözyaşı dökmekten usandı artık
Zira gözde yaş kalmadı sabr ile uslandı artık
Ağlasam da faydası yok sevsem de zamanı geçti
Zira gözde yaş kalmadı sabr ile uslandı artık

Recep bir yandan şarkıya eşlik ederken, bir yandan da yüzlerde oluşan ifade değişikliklerini gözlemliyor. *Zira gözde yaş kalmadı* derken, sesini en yükseklere taşıyan Raşit'e takılıyor gözü. Onunla bu gece fazla ilgilenemediğini düşünüyor. Oysa pansiyona girer girmez, "Seninle dertleşmeye geldim," dememiş miydi Recep'e? Kalkıp yanına gidiyor...

Pansiyonun şu andaki konukları arasında en yaşlısı Raşit amca. Ama belki de gönlü en diri olanı! Geçen yıl geldiğinde ünlü bir gazeteciye olan tutkulu hayranlığını anlatmıştı Recep'e. Hayranlığı aşan, adı konmamış duygularını...

Bu yıl biraz çökük d uruyor. Yaşı gereği, olağandır diye düşünüyor Recep. Ama Raşit, uzun uzun dertleşemeseler de, umutsuzlukların pençesinde nasıl hırpalandığını pek güzel özetliyor.

"Bittim ben," diyor. "Umudu kalmayan insan eriyip yok olmaya mahkûmdur. Tıpkı benim gibi. Bir daha buraya gelebileceğimi hiç sanmıyorum Recep Bey. Hakkınızı helal edin."

"Olur mu öyle şey?" diyor Recep. "Daha nice fasıl gecesinde beraber olacağız."

Yanıt vereceğine, gözleri yarı kapalı, yeni başlayan şarkının nağmelerine eşlik ediyor Raşit.

Pişman olur da bir gün dönersen bana geri
Gönül kapım açıktır çalmadan gir içeri
Sana sevgiler sonsuz henüz geçmedi zaman
Gönül kapım açıktır çalmadan gir içeri

"...*Henüz geçmedi zaman* diyor ama, bizde zaman çoktan geçti!" diyor şarkının bitiminde.

Öylesine acılı bakıyor ki gözleri, dayanamıyor Recep. "Kim bu seni böylesine hırpalayan Raşit amca?" diye şaka yollu soruyor.

"Sorma!" diyor Raşit. "Tektaş bir pırlantadır o! Kimselere benzemez..."

Kâğıt peçetenin üzerine bir şarkı adı yazıyor.

"Lütfedip de çalarlarsa... Ona gitsin bu şarkı!" diyor.

BENZEMEZ KİMSE SANA

Raşit

Benzemez kimse sana tavrına hayran olayım
Bakışından süzülen işvene kurban olayım
Lûtfuna ermek için söyle perişan olayım
Bakışından süzülen işvene kurban olayım

"Okunmuş olmasın bu bal!"

Karısına yanıt vermeden önce, elindeki kavanoza yapıştırılmış kâğıdın üzerindeki özenle yazılmış, inci dizisi gibi yazıyı dikkatle okudu Oğuz.

"Her derde deva. Tansiyon, kalp, kolesterol, bağışıklık sistemi zayıflığı, güçsüzlük. Sabah akşam birer tatlı kaşığı yenilecek. Afiyet olsun!"

Altın sarısı, berrak, saf bir bal görüntüsünün ardında olmayacak şeyler aramak anlamsızdı. Okunmaya, efsunlanmaya, yapıldığı iddia edilen büyülerin tuttuğuna da asla inanmazdı. Ama işkillenmişti bir kere, ne olur ne olmazdı.

"Sakın yeme sen!" dedi. Balın okunmuş olma ihtimali üzerine tavır aldığını düşünmesin diye de ekledi hemen. "Nereden geldiği, ne şartlarda ambalajlandığı belli değil. İçeriğinden emin olmadığın hiçbir şeyi yemeyeceksin."

Oysa ikisi de biliyordu Raşit Bey'in Aysel'e duyduğu hayranlığın gitgide tutkulu bir hal alıp çığırından çıkma aşamasına geldiğini. Ağızlarını açıp tek söz etmiyorlardı bu konuda. Aysel'in gazetedeki köşe yazılarını hiç sektirmeden okuyan, biraz fanatik bir okur kimliğiyle kabullenmişlerdi Raşit Bey'i.

Az da değil, üç dört yıllık bir meseleydi. İlk kez, Aysel'in seçilmiş köşe yazılarından oluşan kitabının, bir alışveriş merkezindeki imza gününde karşılaşmışlardı...

Nasıl da özenmişti o gün Raşit üstüne başına. Kızının düğününde giydiği takım elbiseyi ütületmişti karısına. Beyaz gömleğinin üzerine koyduğu iki kravattan hangisinin iyi durduğuna karar verememiş, enine çizgili olanda karar kılmıştı sonunda. Kesip özenle dosyaladığı, önemli gördüğü yerlerin altını fosforlu kalemle çizdiği köşe yazılarını koltuğunun altına sıkıştırmış, o satırların yazarıyla tanışmak için sabırsızlanarak kalabalığın arasına karışmıştı. Çok heyecanlıydı. Çevresindeki diğer okurların konuşmalarından, imza masasının hemen yanında ayakta duran orta yaşlı, takım elbiseli, güleç yüzlü adamın Aysel'in kocası olduğunu öğrenince, yanına gidip tanıttı kendini.

"Adım Raşit. Aysel Hanım'ı hayranlıkla izliyorum. Sabahları onu okuyarak başlıyorum yeni güne. Yazılarının, anlatılarının tiryakisi olduğumu söyleyebilirim. Emekliyim ben. Eskiden de okumayı severdim, ama şimdi biricik tutkum oldu. Aysel Hanım'ın sayesinde..."

Karısına yönelik övgüler gururunu okşamıştı Oğuz'un. Masanın köşesinde duran, eşe dosta armağan edilmek üzere ayrılmış kitaplardan birini uzatıp, "Armağanımız olsun," dedi. Sonra da karısına dönüp, "Beyefendi sadık bir okurunmuş senin," diye açıkladı. "Emekliymiş..."

Hafifçe gülümsedi Aysel. Kitabını imzalayıp uzattı.

Bozulmuştu biraz Raşit, ama belli etmedi. "Mütekait[1] Raşit Efendi" diye kart bastırmış da, bedava bir şeyler koparmak için her önüne gelene gösteriyordu sanki. Kalkıp buralara kadar gelmişse, cebinde bir kitap alacak parası vardı elbet.

Bir bilselerdi... Yazılarıyla kalbinde taht kurmuş, şimdi de sıcacık gülümseyişiyle yüreğine akan bu eşsiz insan için yapmayacağı şey mi vardı Raşit'in? Değil üç kuruşluk kitap parası, neyi var neyi yok, hepsini onun önüne sermeye hazırdı.

Şunca yıllık ömründe edindiği biricik servetin iki odalı küçücük bir evden ibaret olduğunu düşününce gülüverdi. Aysel gibi bir efsane için, ne ifade ederdi onun mütevazı evciği? Bu kadarına da şükürdü. Hem, tıkır tıkır çalışan zehir gibi bir beyni, değme babayiğitlere kök söktürecek mangal gibi bir yüreği vardı ya...

İşi biter bitmez ayrılmadı oradan. Bir köşeye çekilip Aysel'in okurlarıyla konuşmasını, kitaplarını imzalarken yüzüne yayılan o tatlı tebessümü izleyerek imza gününün sonuna kadar bekledi. Daha önce de televizyon programlarında, açık oturumlarda pek çok kez izlemişti ama, ekranlardaki görüntüsünden de, gazetedeki köşesine konulan fotoğraftan da katbekat güzeldi Aysel. Kocası da iyi adamdı doğrusu. Raşit'in ayakta

---

(1) Emekli

dikilip durmasına gönlü razı olmamış, özel konukların ağırlandığı koltuklardan birine oturtup çay ikram etmişti karısının vefakâr okuruna.

Ayrılırken küçük bir ricası oldu Raşit'in. Aysel Hanım'ın telefon numarasını alabilir miydi? Bazı yazılarını okuduğunda, üzerinde konuşmak, tartışmak ihtiyacı duyuyordu da.

Karısının huyunu ve prensiplerini iyi bilen Oğuz, bir adım öne çıkarak kendi kartını uzattı. "İşyerimin adresi ve telefonu," dedi. "Aysel'e ulaşmak zordur. Ben aracı olurum size."

Kargamış Matbaası/ Cağaloğlu- İstanbul

Elindeki kartı dikkatle inceledi Raşit. Üzerindeki yazıyı okuyup cebine attı kartı. İstediği tam olarak bu olmasa da, şimdilik idare ederdi...

Pazartesi sabahı matbaanın kapısından içeriye girerken, kapıdaki görevli, "Bir misafiriniz var Oğuz Bey," dedi. Haftanın ilk günü, erken sayılabilecek bir saatte teklifsizce geliveren beklenmedik misafir kimdi acaba?

Odasının önünde, elinde yaldızlı kâğıda sarılmış bir demet kırmızı karanfille kendisini bekleyen Raşit Bey'i görünce gözlerine inanamadı Oğuz. Pantolon, kazak, kaban üçgeninden oluşan gündelik kıyafeti içinde, imza günündeki şıklığından sıyrılmış, nereye koyacağını bilemediği mahcup bakışları ve gariban haliyle karşısında duran adamın ne işi vardı burada? Tamam, nezaket gereği kartvizitini vermişti o gün ama, bu kadar çabuk karşısına dikilmesini de beklemiyordu doğrusu.

Gene de hiç bozmadan, olağan ve beklenen bir ziyaretçiymiş gibi, "Hoş gelmişsiniz," dedi Raşit Bey'e, odasına buyur etti.

İçeriye girip Oğuz'un gösterdiği koltuğa oturur oturmaz, kolunun altına kıstırdığı gazeteyi çıkarıp açtı Raşit. Aysel'in o günkü köşe yazısında altını çizdiği yerleri yüksek sesle okumaya başladı. Ardından da hiç soluk almadan, kendi görüşleriyle bu yazılanların ne derece örtüştüğünü vurgulayarak, cümle cümle yazının ayrıntılı bir yorumunu yaptı.

"Siz ne düşünüyorsunuz bu konuda?" diyerek kocaman kocaman açtığı gözleriyle alacağı yanıtı beklerken, Raşit Bey'e hazırlıksız yakalanmıştı Oğuz. Çünkü anlattıklarını dinleyeceğine, Raşit'i hem fiziksel, hem de ruhsal yönden incelemeye almış, pek sağlıklı olmadığını düşündüğü ruh halini çözmeye odaklanmıştı.

Üstelik karısının o sabah gazetede çıkan yazısını da okumamıştı henüz. Ezbere yorum yapacağına, "Katılıyorum size," diyerek kolaycılığa kaçmayı seçti. "Söylediklerinizin altına seve seve imzamı atarım," dediğinde Raşit'in yüzünde beliren sevinç ifadesini memnuniyetle izledi.

Yaşadığı güzelliği Aysel olmadan içine sindiremiyormuş gibi, "Keşke Aysel Hanım da burada olsaydı!" diye mırıldandı Raşit.

Kaç yaşında vardı bu adam? Yetmişle seksen arası bir yerlerde... Yetmişli yaşların belki ilk, belki de ikinci yarısında. Yaşıtları evlerinde ya da kahvehane köşelerinde pinekleyerek zaman öldürürken, entelektüel çizgide varlık gösterebilmesiyle saygı duyulmayı fazlasıyla hak ediyordu. Ama Oğuz'un içinde farklı bir duygu uyandırıyordu Raşit Bey: merhamet!

Gariban görünümü, kurumuş kalmış zayıf bedeni, konuşurken irileşen gözleri, kanı çekilmiş ince uzun parmaklarının titreyişi... Yanı sıra, Aysel'e duyduğu ilginç hayranlık, ona kayıtsız şartsız inanmışlığı ve umduğu ilgiyi görememenin çaresizliği... Bunların hangisi ya da hangileriydi acıma duygusunu açığa çıkaran, bilemiyordu Oğuz. Bildiği tek şey, eğer bu yaşta olmasa, karısına yönelik, belki Raşit'in kendisinin bile adlandıramadığı duygularından dolayı, asla bu kadar hoşgörülü olamayacağıydı. Eğer muhatabı bu derece aciz ve savunmasız olmasa, değil acımak, en acımasız yüzüyle karşısına dikilip çatır çatır hesabını sorardı Oğuz...

Özenle hazırlanmış büyük buketlere, özel olarak tasarlanmış çiçek düzenlemelerine alışıktı Aysel; kocasının elindeki, sapları yaldızlı kâğıda sarılı, yaprakları pörsümüş karanfil demetine hayretle bakması bundandı.

"Raşit Bey'in emaneti," dedi Oğuz.

İlk anda Raşit Bey'in kim olduğunu hatırlayamadı Aysel. Oğuz'un yardımı olmasa zor hatırlardı. O sabah olup bitenleri anlattı Oğuz. Raşit Bey'le konuştuklarını, beraberce kahve içtiklerini...

Duyduklarından hiç memnun kalmamıştı Aysel. Çiçek hadi neyseydi, eli boş gelmek istememişti demek Raşit Bey. Ama onca izzet ikrama ne gerek vardı? İçeriye, odasına alması bile hataydı Oğuz'un. Matbaadaki onca işin arasında, kim olduğu belirsiz bir yabancıyla karşılıklı kahve içmeler, saatlerce çene çalmalar...

"İkinci bir İlyas Bey macerası yaşamayalım," diye bir yıl önce başlarından geçen tatsızlığı anımsatarak uyardı kocasını. "Aynen böyle başlamamış mıydı o da? Hepsi birbirine benzer bunların. Hayran kurban ayaklarıyla yakınlık kurup üç gün

sonra geçim sıkıntısından dem vurmaya başlarlar. Ayağı alış-
masın oralara, benden söylemesi. Avucuna biraz para sıkıştır,
gönder gitsin..."

Karısının söylediklerine kesinlikle katılmıyordu Oğuz.
Gene de ses çıkarmadı, dinler göründü. Yanılıyordu Aysel, ken-
di halinde gariban bir ihtiyarcıktı Raşit Bey. Kimseye zarar gel-
mezdi ondan. Eline para sıkıştırılacak biri de değildi asla. Belki
bir daha gelmeyecekti bile... Cağaloğlu'ndaki işyeri, geçerken
uğranacak bir yer değildi. İki, hatta üç vasıtayla onca yolu kat
etmeye değer miydi? Hem de okuduğu köşe yazılarını, yazarın
kendisiyle bile değil, kocasıyla tartışmak için! Elindeki kartvi-
zitin hatırına bir kez gelmişti ama, onca zahmete katlanıp bir
daha gelebileceğini hiç sanmıyordu Oğuz.

Yanılmıştı! Üç gün sonra matbaanın kapısındaydı gene
Raşit. Elinde büyükçe bir kutu, kolunun altında o günün ga-
zetesi...

Film şeridini üç gün geriye sarıp o gün yaşananların üze-
rinden geçerek aynı şeyleri yineliyorlardı sanki. Aysel'in o gün-
kü yazısı üzerine yorumlar, içilen kahveler ve gitgide koyulaşan
bir sohbet. Bir önceki gelişinden tek farkı, Raşit Bey'in çiçek
yerine getirdiği kutuydu.

"Bizim fırının un kurabiyesi pek ünlüdür," diyerek mahcup
bir tavırla masanın üzerine bıraktı. "Ta nerelerden gelir alırlar.
Kızarma derecesine göre ayrı tepsilerde pişer kurabiyeler. Az
kızarmış, orta, çok kızarmış... Sıcacıktı aldığımda. Üç sıra yap-
tırdım, hepsinin tadına bakın diye. Aysel Hanım hangisini se-
verse artık..."

Aysel Hanım derken öyle bir ifade almıştı ki suratı, yumruklarını istemsizce sıkmaktan kendini alamadı Oğuz. Hemen toparlandı, güldü haline. Bu zavallı adama öfkelenmek, küçücük bir çocuğu komşu kızına kur yaptı diye idama mahkûm etmekle eşdeğerdi.

O akşam, Raşit'in yine matbaaya geldiğini Aysel'e söyledi ama un kurabiyelerini eve götürmedi. Matbaadaki çalışanlarına dağıttı. Kendisi de tadına baktı ama. En güzeli çok kızarmış olanıydı...

İlk karşılaşmalarının üzerinden iki ayı aşkın bir süre geçmişti. Bu süre zarfında matbaa ziyaretlerini hiç ihmal etmemişti Raşit. Bazen otomatiğe bağlanmış gibi, muntazaman üç günde bir geliyor, bazen bir hafta on gün ortalarda görünmüyor, arayı açtığı zamanlar için bin bir mazeret sıralayarak üstü kapalı özürler diliyordu. Matbaanın, kendi çalışma programını kendi düzenleyen, kadrolu bir elemanıydı sanki.

Devlet Demiryolları'ndan emekliydi Raşit. Çalıştığı dönemde kurum tarafından defalarca yurtdışına gönderilmiş, Avrupa'nın pek çok kentini görme fırsatı bulmuştu. Belli bir dünya görüşü olan, görmüş geçirmiş, yüzü gibi kafasının içi de aydınlık bir adamdı. Üstelik pek de hoşsohbetti. Onunla sohbet etmek Oğuz'un da hoşuna gidiyordu ama, paylaştıkları ortam ciddi bir işyeriydi ve bu işyerinin sahibi de olsa, çat kapı gelen ziyaretçilerine ayıracak zamanı kısıtlıydı.

Yalnız kendi yönünden değil, Raşit için de bu işe bir dur demenin zamanı gelmişti. Her seferinde bu kadar yol tepiyor, hedefindeki esas kişiyle, Aysel'le yüz yüze bile gelemiyordu zavallıcık. Dünya kadar da yol parası veriyordu. Getirdiği çiçekler, kurabiyeler, çörekler de cabası... Emekli bütçesi için hiç de az sayılmazdı harcadığı para. Üzülüyordu Oğuz. Böyle sürüp gidemezdi, yumuşak yüzünü bir kenara bırakıp açık açık konuşmalıydı Raşit Bey'le.

Dünyası yıkıldı Raşit'in. Elinden en sevdiği oyuncağı alınmış çocuk gibi büküverdi boynunu.

"... Sana da yazık, yollarda helak oluyorsun!" da ne demekti? Helak olan kendisiydi, kime neydi bundan? Doğruydu, ta nereden buralara gelmek için saatlerini veriyordu ama bu geliş gidişler zahmet değil, zevkti Raşit için. Aysel'le kurduğu dolaylı iletişim, tüm yorgunluklarına değerdi.

Ne pahasına olursa olsun, gururunun çiğnenmesine de razı olamazdı. Madem istenmiyordu, gelmezdi bir daha. Oğuz samimi ve sıcak bir tavırla konuşmuş, kırmamak, incitmemek için elinden gelen özeni göstermişti. Ayrılırken de, "İstediğiniz zaman telefonla arayabilirsiniz beni," demiş, kapıya kadar uğurlamıştı Raşit'i.

Telefonla konuşmaktan hiç hoşlanmazdı Raşit. Mecbur olmadıkça da konuşmazdı. Cep telefonu bile almamıştı bu yüzden. Gerektiğinde evdeki sabit telefondan konuşurdu, o da karşı taraftan arandığında. Karısının, kızlarının elinden düşmeyen rengârenk telefonları, konuşan kişilerin gerçek yüzlerini gizleyen küçük birer kutu olarak görürdü.

İki hafta boyunca dayandı Raşit. Okuduğu yazıları kendi içsesiyle paylaştı, yorumlarını kendine yaptı. Ama Aysel'in o günkü yazısı, küskünlüğünü, suskunluğunu sonlandıracak güçteydi. Titreyen parmaklarıyla matbaanın numarasını çevirdi. Santral görevlisi çıktı karşısına. "Oğuz Bey'i bağlar mısınız?" demesiyle görevlinin yanıt vermesi arasında otuz saniye geçti, geçmedi. "Oğuz Bey yok efendim, matbaa dışında," dedi aynı mekanik ses.

Yılmadı Raşit, iki gün sonra tekrar aradı. Bu kez de önemli bir toplantısı vardı Oğuz Bey'in... Doğru olabilirdi ama içindeki ses, telefonlarının bile muhatabını rahatsız ettiğini söylüyordu. Hayır, bundan sonra telefonla da aramayacaktı Oğuz Bey'i. Onun yerine yapmayı tasarladığı çok daha etkili bir eylem planı vardı...

İkitelli'deki gazete binasının kapısındaki güvenlik görevlisine yarım saattir dil döküyordu Raşit. Amma inatçı çıkmıştı adam! "Aysel Hanım ziyaretçi kabul etmez!", "Aysel Hanım tanımadığı kişilerle görüşmez!"...

"Tanımadığını kim söyledi!" diye terslendi Raşit. "Yakınıyım Aysel'in, sürpriz yapacağım ona. Beni görünce çok sevinecek."

Raşit'i şüpheyle süzdü görevli. Hali tavrı, kılık kıyafeti, elinde sıkı sıkıya tuttuğu gül buketiyle ünlü gazeteci Aysel Gürman'ın kabul edeceği ziyaretçi tipine uymuyordu ama... Ya doğru söylüyorsa?

Adamın yüzündeki yumuşamayı fark eden Raşit, son hamlesini yaptı.

"Hele sen haber ver... Kabul etmezse döner giderim."

İsteksizce numarayı tuşladı görevli. "Aysel Hanım'la görüşmek isteyen biri var burada," dedi. "Yaşlı bir adam. Yakınıyım diyor. Amcası mı, dayısı mı ne... Kimliğini aldım. Göndereyim mi?"

* * *

Asistanı aşağıda bekleyen bir ziyaretçisi olduğunu söylediğinde, ertesi günün köşe yazısını bitirmek üzereydi Aysel. Her önüne gelen, elini kolunu sallayarak bu kapıdan içeri giremezdi ama, Raşit Ataman adı yabancı gelmemişti kulağına. Tanıması, hatırlaması gereken biriyse ayıp olurdu. Aklı yazacağı son cümlelere takılı, "Yukarı gelsin," dedi asistanına. Kafasına uymayan biriyse, kapıyı göstermesi kolaydı...

Endişeli bir yüz ifadesi, ürkek bakışlar, kocaman açılmış gözler, yürümekte zorlanan, heyecandan birbirine dolanan ayaklar... İşte Raşit Bey!

Karşısındaki tabloyu nasıl değerlendireceğini bilemedi Aysel. Trajik, komik, dramatik... Gülsün mü ağlasın mı, kızsın mı bilemedi. Böyle birini karşısına alıp sohbet etti diye kocasına çıkışan o değilmiş gibi, önce elini uzatıp sıcacık bir "hoş geldiniz"le tokalaştı, sonra da karşısındaki koltuğa buyur edip, içinde biriktirdiklerini ortaya dökmesine izin verdi. Ayların susamışlığıyla, gözünü bir an Aysel'in üzerinden ayırmadan konuştu, anlattı; köşe yazılarından güncel olaylara, siyasetten ahlaki yozlaşmaya, konudan konuya atlayarak, doya doya, kana kana hasret giderdi Aysel'le Raşit. Çay içtiler karşılıklı.

Getirdiği güller için teşekkür etti Aysel. Geldiği için de. Ama, ilk ve son olmalıydı bu ziyaret. Ne zamanı vardı Aysel'in, ne de gazete çatısı altında ziyaretçi kabul etme alışkanlığı.

Tamamdı, hak veriyordu Aysel'e ama, aralarındaki iletişimin sıfırlandığı zamanlar, Raşit de sıfırlanmış gibi hissediyordu kendini. Bir şekilde ulaşmalıydı ona.

"Arada bir telefon etmeme izin var mı?" diye sordu.

Boynunu bükmüş, titreyen dudaklarıyla merhamet dilenir gibiydi. Dayanamadı Aysel. Masanın üzerindeki kutunun içinden kartını çıkarıp uzattı.

"Burada numaram var. Ama olur olmaz, her aklınıza geldiğinde arayamazsınız beni."

Yanlış mı duymuştu Raşit, düş mü görüyordu? Heyecandan tir tir titreyen parmaklarıyla karta uzandı. Ağlamak üzereydi sevincinden, dolu dolu olmuştu gözleri. "Tamam," dedi. "Merak etmeyin, olura olmaza rahatsız etmem sizi. Haftada bir... olabilir mi?"

Şu anda nasıl da hak veriyordu kocasına Aysel... Bu adama acımamak, haline üzülmemek elde değildi.

"Hadi haftada bir diyelim. Yalnızca beş, en çok on dakika. İşimin yoğun olduğu zamanlarda yanıt veremeyebilirim, haberiniz olsun."

"Sizin için hangi gün daha uygun?"

İster istemez gülümsedi Aysel. Kendini garantiye almadan gitmeye niyeti yoktu Raşit'in. Çizdiği "kendi halinde bir gariban" karakterinin gerisinde, tuttuğunu koparan, elde etmek istediğine ulaşıncaya kadar inatla mücadele veren güçlü bir karakter duruyordu.

"Salı," dedi Aysel. "Salı günleri öğleden sonralarım diğer günlere göre daha sakin geçer. Çarşamba günleri köşe yazım yok ya..."

Raşit için bayramdı o gün, düğündü, şenlikti. Gazeteden çıkıp doğruca İstiklal Caddesi'ne gitti. Telefon almaya! Hayır, ikinci ya da üçüncü el, ucuz bir telefon değildi aradığı. Paraya kıyıp sıfır, gıcır gıcır, Aysel'le konuşurken kesilip arıza yaparak onu yolda bırakmayacak, sağlam bir cep telefonu alacaktı. Buldu sonunda... Hem kaliteli, hem de kesesine uygun. Kredi kartına on taksit yaptılar. Aydan aya azar azar öderdi. Aysel'in sesini duyacak olmak dünyalara bedeldi Raşit için, üç kuruş paranın lafı mı olurdu?

İçi içine sığmıyordu o akşam Raşit'in. Bir elinde cep telefonu, diğerinde kullanma kılavuzu, aldığı cihazın inceliklerini öğrenmeye çalışıyor, Aysel'le konuştuğunda bir aksilik çıkmasın diye kızlarına, yeğenlerine deneme telefonları açıyordu.

Şaşkın şaşkın kocasını izliyordu Nimet. Ne zamandır böyle neşeli, böyle mutlu görmemişti onu. Torununu kucağına aldığında bile bu denli sevinçli değildi. Ne olmuştu bu adama böyle? Yıllardır cep telefonu almamak için direnen, başta karısı, çevresindeki telefon tiryakilerine kafa tutan Raşit Efendi, kendisine cep telefonu almıştı ha! Rüyasında görse inanmazdı Nimet. İnsanlar yaşlandıkça çocuklaşıyorlar mıydı ne? En somut örneği karşısındaydı işte...

Salı gününü iple çekti Raşit. Öğlen yemeğini aceleyle yiyip sokağa attı kendini. Rahat konuşamazdı evden. Yokuş aşağı koşarcasına inerek, ara sıra Nimet'le gelip oturdukları çay bahçesine doğru yürüdü. O cansız, yürürken birbirine dolanan ayaklarına can gelmişti sanki. Aysel'in sesini duyma umudu, olağanüstü bir güç vermişti bedenine.

Sessiz sakin bir köşeye çekilip Aysel'in numarasını tuşladı. Bir... iki... üç... Hadi, açılsın şu telefon!

Neyse, korktuğuna uğramadı. Sekizinci çalınışında açıldı. Geç duymuştu Aysel. Cıvıl cıvıldı sesi. Neşeli günündeydi galiba. Az konuştu gerçi, daha çok Raşit'i dinledi ama bu kadarı da yetmişti ona. Telefonu kapatıp bir çay ısmarladı kendine. Aysel'in, kulaklarında kalan sesiyle beraber keyifle yudumladı...

Bir koca hafta! Asır gibi geliyordu Raşit'e. Yedi gün boyunca salı gününün öğleden sonrasını hayal ediyor, telefonda neler konuşacağını tasarlıyor; bir haftanın tamamını o on dakikalık ikrama kavuşmak için yaşıyordu sanki.

İkinci hafta konuşmayı kısa kesti Aysel. Önemli bir toplantısı vardı, kusura bakmasındı. Saatine baktı Raşit. Bir haftalık bekleyişin sonunda yalnızca dört dakika konuşabilmişlerdi.

Üçüncü haftaysa öncekilerden de beterdi. Aysel'in yerine telefona asistanı çıkmış, "Aysel Hanım şehir dışında," demişti. Sonraki haftaysa tam bir hayal kırıklığıydı. Aysel Hanım yeni kitabının hazırlıkları için yoğun bir çalışma dönemindeydi. Asistanı gelen telefonları not ediyor, ancak bağlayamıyordu.

Çaresizlik içindeydi Raşit. Tek avuntusu yaklaşmakta olan kitap fuarıydı. Gazetelerin kitap eklerinden takip etmiş, fuarın açıldığı ilk hafta sonu Aysel'in bir panele katılacağını öğrenmişti. O gün mutlaka orada olacaktı.

Panelin konusu ilginçti: *Türk Toplumunda Erkek Hakları*! İki erkek, iki de kadın (birisi Aysel!) panelistin katılımıyla başlayan panel ateşli konuşmalara sahne oluyordu. İki erkek katılımcı, kadın erkek eşitliğinin hukuksal boyutlarını irdeleyip ilkçağlardan bugüne kaydedilen tarihsel gelişimi örneklerle anlatarak sözü kadın katılımcılara bıraktılar.

Özel üniversitelerden birinde öğretim üyesi olan ve feminist söylemleriyle ün yapmış diğer kadın panelist, panelin konu başlığına bile isyan ediyordu. Kadınların alabildiğine ezildiği bir toplumda erkek haklarından söz etmek ne kadar doğruydu? Dünya üzerinde ezilen erkek mi vardı ki, onların haklarını savunmak gereksindi. Erkekler ezilen değil, bütün coğrafyalarda, her şartta, her ortamda, her toplumda ezen bireylerdi.

Kendisinden önceki kadın panelistin sert ve meydan okuyucu tavrına karşılık son derece ılımlı, hoşgörülü ve güler yüzlü bir konuşma yaptı Aysel. Konuşmanın içeriği yumuşak değildi aslında, yumuşak olan üslubuydu. Oysa, aykırı sayılabilecek bir tezdi savunduğu.

Söylenenlerin aksine, dünya üzerindeki bütün toplumlarda erkeklerin de itilmiş, dışlanmış, ezilmiş olanları vardı. Hatta şiddete maruz kalanları ve dayak diyenleri de... Ama onlar, "Sen erkeksin!" şartlandırılmasıyla daha az dillendiriyorlardı ezilmişliklerini.

Kadına uygulanan şiddeti, koca vahşetiyle işlenen cinayetleri asla yadsımıyordu Aysel. Ancak, genelleme yapıp erkeklerin tümünü canavar ve potansiyel katil gibi görmek de büyük haksızlıktı.

Erkeğin hükümran, despot, dediğim dedik hallerinden şikâyetçi olan kadınlar, kendi içlerinde özeleştiri yapmalıydılar. Oğlan doğurduğunda, kendisine üstünlük kazandıran erkek evladını baş tacı edip alabildiğine şımartan kadınların, "Benim ben!" diye ortalarda dolanan erkeklerin oluşumunda hiç mi payı yoktu?

Konuşmaların bitiminde, izleyenlerin panelistlere yöneltecekleri sorulara geçildi. Raşit de söz almak için elini kaldıranlar arasındaydı.

"Aysel Gürman'ın ilk kitabının 158. sayfasında da söz ettiği gibi..." diyerek konuşmaya başlar başlamaz, en ön sırada oturan Oğuz, küçük bir kahkaha atmaktan kendini alamadı. Neyse ki kalabalığın uğultusunda kaynayıp gitti sesi.

Nasıl bir adamdı bu böyle! Satır satır ezberlemişti Aysel'in yazdıklarını. Oğuz bile bu kadar sıkı takipçisi değildi karısının. Ne konuştu, ne sordu, nasıl bir yorum yaptı, dinlemedi bile Oğuz. O günden aklında kalan tek şey, Raşit'in karısına bakarkenki tutkulu ama bir o kadar da zavallı heyecanıydı. Sesi titriyordu konuşurken. Birisi kalkıp Aysel'i köşeye sıkıştıracak tek bir söz söylese, panter kesilmeye hazır, cansiperane savunuyordu Aysel'in öne sürdüğü görüşleri.

İyi ki yirmi yaş daha genç değildi bu adam! Yoksa, böylesi fanatik bir taraftarla nasıl baş ederdi Oğuz...

Çıkışta Aysel'in en ateşli hayranı Raşit'ti gene. Gözünü karartıp sarılıverdi Aysel'e, yanaklarından öptü, başarılı sunumu için kutladı.

"*Yüksel ki yerin bu yer değildir/ Dünyaya gelmek hüner değildir,*" diyerek Namık Kemal'in dizeleriyle başladı övgülerine. "Siyasete atılmalısın sen!" dedi. "Milletvekilliği de az, bakanlık yakışır sana."

"Doğru," diye güldü Aysel. "Erkek haklarından sorumlu devlet bakanı yaparlar beni."

Oraya bile eli boş gelmemişti Raşit. "Bugünün anısına," diyerek desenli kâğıda sarılmış küçük paketi Aysel'in elindeki dosyanın üstüne bıraktı.

Leopar desenli şifon bir fular... Gerçek ya da taklit, hiç kürk giymemişti o güne kadar Aysel. Çevrecilik, hayvan severlik bir yana; kürkü için katledilen, derisi yüzülen bir canlının, allanıp pullanarak omzuna koyulacak postunu taşımayı içine sindiremiyordu. Leopar desenini sevmeyişi de bu yüzdendi. Elbise, bluz, fular... Hangisinin üzerinde görse bu deseni, acımasızca katledilen leoparlar geliyordu gözünün önüne.

"Al bunu," dedi Oğuz'a. "Birine verirsin..."

Üçüncü yılını doldurmuştu tanışmaları. Garip bir denge kurulmuştu aralarında. Raşit, Aysel'i görüp konuşmak, olmadı, telefonda sesini duyabilmek; en kötüsünden Oğuz'a ulaşarak Aysel'den bir ses, bir nefes, bir ışık alabilmek için çırpınıp duruyordu. Ne var ki onlar Raşit'e karşı gitgide sağırlaşıp duyarsızlaşıyorlardı.

Son zamanlarda telefonla ne Aysel'e ulaşabiliyordu, ne de Oğuz'a. Sözlenmiş gibi telefonlarına çıkmıyordu ikisi de. Tek umarı kalmıştı; Aysel'in imza günleri, katılacağı kültürel etkinlikler ve kitap fuarları. Hepsini toplasan bir yıl içinde, bir elin parmaklarını geçmezdi görüşebilecekleri günlerin sayısı.

Gene de moralini bozmuyor, gururunu ayaklar altına alma pahasına girişimlerini sürdürüyordu. Her ay emekli maaşını bankadan çeker çekmez, ilk iş olarak karınca kararınca küçük bir hediye alıyordu Aysel'e. Hediyeyi almak kolaydı da, sahibine ulaştırmak, bayağı uğraştırıyordu Raşit'i.

Pek çok kez gazeteye gidip hem Aysel'i görmek, hem de hediyesini vermek istemiş, her seferinde güvenlik engeline takılmıştı. Yukarıya, Aysel'in yanına çıkması hayaldi artık. Götürdüğü paketi emanete bırakıyor, yerine ulaştırılmasını rica ediyordu. Bazen de Oğuz'un matbaasına gidip oraya bırakıyordu emanetini. Kimi zaman Oğuz'la karşılaşıp çay ya da kahve içtikleri oluyordu. Ama bu mutluluk verici küçük ışıltılar öylesine az ve cılızdı ki...

Karamsarlığının zirveye ulaştığı günlerdi. Madem karşısına dişe dokunur bir fırsat çıkmıyordu, kendi fırsatını kendisi yaratacaktı.

Oturduğu semtin bağlı olduğu ilçenin halk kütüphanesine sık sık giderdi Raşit. Yıllar önce kütüphane kartı almış, bu sayede dar bütçesiyle satın alabildiklerinin yanına, ödünç aldığı kitapları da ekleyerek daha geniş okuma olanağına kavuşmuştu. Gide gele kütüphane müdürüyle dost olmuşlardı.

O gün de ödünç aldığı kitapları teslim etmiş, yenilerini alıp müdürün odasına uğramıştı. Hal hatır sormanın ardından sadede geldi hemen.

Gazeteci Aysel Gürman'ı tanır mıydı müdür bey?

Tabii ki, kim tanımazdı ünlü gazeteciyi?

Kütüphaneye her ay bir konuşmacı davet edilerek halka açık bir söyleşi düzenleniyordu. Acaba Aysel Gürman'ı da kütüphaneye konuşmacı olarak davet etmeyi isterler miydi?

Gözleri parlamıştı müdürün. Aysel Gürman gibi bir isim, mütevazı bir semt kütüphanesine gelmeyi kabul eder miydi?

Ederdi! Raşit'in yakınıydı Aysel Gürman. Teklifi bizzat kendisi götürecek, müjdeli haberi de gene kendisi getirecekti müdür beye.

Telaşla girdi eve. Birkaç günlüğüne kızına gitmişti Nimet. Rahatça konuşabilirdi evden.

Bu kez aramak için geçerli, sağlam bir nedeni vardı. Aysel'in numarasını tuşlarken her zamankinden çok güveniyordu kendine. Tahmin ettiği gibi, Aysel değil, asistanı çıktı telefona.

Aysel Hanım gazetenin haftalık olağan toplantısındaydı. Raşit Bey'in iletmek istediği bir şey varsa...

"Önemli bir durum var!" diye kesti Raşit. "Aysel Hanım'a gelen bir etkinlik önerisi. Kendisiyle acilen görüşmem gerekiyor."

"Siz bana etkinliğin ayrıntılarını verin. Aysel Hanım'a iletir, sizinle görüşmesini sağlarım."

Anlattı Raşit. Müdürün acilen yanıt beklediğini, etkinlik tarihinin saptanması gerektiğini...

Yarım saat geçti geçmedi, gazeteden aradılar. İnanamıyordu Raşit, kulaklarına dolan Aysel'in sesi miydi? Nasıl da özlemişti... Ama hiç de umduğu gibi değildi o ses! Yüksek perdeden, öfkeli, hesap soran...

Ne sanıyordu kendini Raşit? Aysel Gürman'ın menajeri falan mı? Kim oluyordu da ona etkinlik ayarlamaya çalışıyordu? Semt kütüphanelerinde söyleşi yapacak başka birini bulamamışlar mıydı?

Neye uğradığını şaşırmıştı Raşit. Telefonun ucunda küçülmüş, büzüşmüş, tortop olup kalmıştı. Haklıydı Aysel! Düşüncesizlik etmişti. Özlemlerine, zaaflarına yenik düşmüştü. Nasıl tamir edecekti bu affedilmez hatayı?

Neden sonra yatışır gibi oldu Aysel. Kötü bir günündeydi, başka zaman olsa bu kadar öfkelenip köpürmezdi belki. Raşit aradığında toplantıda falan değildi, avukatıyla önemli bir konuyu tartışıyorlardı. Bir hafta önce yazdığı bir yazıya tekzip gelmişti. "...dava açma hakkımızı saklı tutarak..." diye sonlanan tekzip yazısına köşesinde yer verecek olmak yeterince can sıkıcıyken, bir de üstüne şu saçma sapan etkinlik teklifi gelince, tüm hırsını Raşit'ten çıkarmıştı Aysel. İstemeden üzmüştü zavallı adamı. Yeniden konuşmaya başladığında, ses tonu epey yumuşaktı.

"Kütüphane müdürüne etkinlik takvimimin dolu olduğunu, bu yüzden teklifini kabul edemediğimi, nazik daveti için teşekkür ettiğimi iletin lütfen. Size de bir çift sözüm olacak... Beni böyle zor durumda bırakacak girişimlerde bulunmaktan vazgeçerseniz sevinirim Raşit Bey."

Bu kadarına şükürdü. Tekrar tekrar özür diledi Raşit. Söz veriyordu, bir daha asla böyle bir şey olmayacaktı. Aysel'in ılımlı konuşmasından cesaret alarak, fırsat bu fırsat, "Bir sorum olacak," diyerek, söyleyecekleri her an kesilebilir korkusuyla çabuk çabuk konuşmaya başladı.

"Küçük bir armağanınız vardı bende. Nereye teslim etmemi istersiniz?"

"Hiçbir yere!" diye haykırdı Aysel. "Bundan sonra tek bir iğne göndermeyin bana lütfen."

"Sözünü bile etmeye değmez ama... Gümüş bir kolye almıştım. Telkâri![1] Gazeteye mi bırakayım, matbaaya mı?"

Bu kadarı fazlaydı ama! Aysel'in biraz önceki öfke nöbeti katlanarak geri dönmüştü.

"Raşit Bey!" dedi sertçe. "Son kez konuşuyorum sizinle. Beni iyi dinleyin. Bugüne kadar matbaaya benim için ne bıraktınızsa, orada kaldı, hiçbirini evime sokmadım. Gazetenin güvenliğine bıraktıklarınızı da. Harcadığınız paraya yazık! Gümüş kolye demiştiniz değil mi? Sorarım size, karınıza en son

---

(1) Tel halindeki gümüş ya da altını örerek yapılan takı.

ne zaman hediye aldınız? Hangi akşam çiçek götürdünüz eve? Karınıza verin o kolyeyi, gönlünü alın kadıncağızın. Bunca yıl emek verdi size. Ve beni aramayın artık! Hoşça kalın..."

Elindeki telefona şaşkınlıkla bakakaldı Raşit. Bitmişti her şey! Umutları, sevinçleri, küçücük mutluluk kıvılcımları... Geride kalmıştı hepsi.

Olanların tek suçlusu oymuş gibi, haftada birkaç dakikalık bir konuşma için aldığı cep telefonunu hırsla yere fırlattı. İhtiyacı kalmamıştı artık ona. Darmadağın olmuş enkazının üzerine basarak kapıya doğru yürüdü. Askıdaki ceketi aldığı gibi, sokağın serinliğine attı kendini...

SEN OLMASAYDIN EĞER...

Gece boyunca herkesin yanına gitmişti Recep, bir istekleri olup olmadığını sormuş, kimileriyle dertleşmiş, kimileriyle ağız ağza verip şarkılara eşlik etmişti. Bir kişi kalmıştı yanına sokulamadığı: Haşim Artukoğlu!

Nedense cesaret edememişti. İçgüdüsel bir önseziyle, diğerleri gibi teklifsiz bir iletişim kuramayacağını hissettiğinden belki. Belki de, yüzündeki koyu keder ifadesinin gerisinde yatan nedenleri asla yabancı biriyle paylaşmayacağını tahmin ederek, bütün kapılarını dış dünyaya kapatmış, yalnızlığını gene kendi yalnızlığıyla paylaşan bu asil ve vakur duruşlu adama sıradan bir şeyler söyleyerek onu rahatsız etmekten çekindiği için...

Fasıl heyeti, hüzzam taksimiyle yeniden ağır şarkılara geçerken bakışlarını Haşim Artukoğlu'nun üzerine çevirdi Recep. Birkaç kez bu tür şarkılara eşlik ettiğini görmüştü. Alçak sesle, mırıldanır gibi, çoğu zaman koroya katılmadan, tek başına...

Yesari Asım Arsoy'un hüzzam şarkısı kulaklara dolarken, Haşim Bey'in gözlerini kapatıp yalnızca dudak kıpırtılarıyla şarkıyı mırıldandığını görünce, daha fazla dayanamadı Recep. Gizemli misafiriyle ilgilenmenin tam zamanıydı.

Sen olmasaydın eğer aşka inanmazdım
Seni sevmeseydim ah, bu türlü yanmazdım
Sensiz aşkı aramaz mehtabı anmazdım
Seni sevmeseydim ah, bu türlü yanmazdım

"Herhangi bir arzunuz var mı efendim?"

Gülümseyerek sorulan soruya gülümseyerek yanıt veriyor Haşim de.

"Teşekkür ederim. Her şey gayet iyi."

İşte bu kadar! Daha fazlasını soramaz Recep. Üstüne üstüne gidip mahremiyetine el uzatmaya cüret edemez.

Âdet yerini bulsun diye, herkese sorduğu soruyu Haşim Bey'e de soruyor: "İcra edilmesini istediğiniz bir eser var mı?"

Hayır diyeceğinden o kadar emin ki, iyi geceler dileyip veda etmeye hazırlanıyor.

"Yesari Asım Arsoy'dan bir başka eser olabilir," diyerek şaşırtıyor Haşim.

Gecenin başında Recep'in masalara bıraktığı istek kâğıtlarından bir tane alıp şarkının adını yazıyor. "Bu beste, Yesari Asım Arsoy'un, güftesi kendine ait olmayan ender eserlerinden biridir," diyor. "Sözler Fitnat Hanım'a ait. Kimileri şiirin Fitnat Hanım tarafından Yesari Asım Arsoy için yazıldığını söyler, kimileri de Fitnat Hanım'a umutsuz bir aşk besleyen Yesari Asım Arsoy'un bu şiiri aşkının ifadesi olarak bestelediğini. Hangisinin aşkı umutsuz, hangisininki karşılık görmüş, bilemeyiz ama daha çok erkek ağzına yakıştırırım bu şarkıyı ben. Ve pek severim..."

ÖMRÜM SENİ SEVMEKLE
NİHAYET BULACAKTIR

"...uzak bir şehir ve şarkı vardı
...şarkı nihaventti."

NÂZIM HİKMET

Haşim

Ömrüm seni sevmekle nihayet bulacaktır
Yalnız senin aşkın ile ruhum solacaktır
Son darbe-i kalbim yine ismin olacaktır
Yalnız senin aşkın ile ruhum solacaktır

Hoşça kal demeden önce, içimi dökmek istiyorum sana Piraye.

Bir asır yaşamışçasına yorgunum şu an. Sensizliğin ayazında, elim kolum bağlı, çaresiz...
Üşüyorum! Öyle böyle değil, kemiklerim titriyor bedenimin derinliklerinde, birbirine vuruyor dişlerim.

Yüzüme kapatmışsın kapılarını. Bakışların uzak, gülüşün acı. Bıçağın sivri ucu gibi, doğrudan içime saplanıyor sözlerin.

Keşke çekip vursan beni!
Oracıkta ölüversem...
Senin elinden olsa ölümüm!
Böylesi bir saadet var mı?

Onu görür görmez, doğduğum günden beri tanıyormuşum hissine kapılmamın sıradan bir yanılsama değil, sonrasında yaşayacaklarımızın habercisi olduğunu çok sonra anlayacaktım...

İlk kez fakültenin bahar çayında karşılaşmıştık Piraye'yle. Yükünü almış, kalabalıktan adım atacak yer kalmamış pistten kaçarak orkestranın arkasındaki boşlukta dans etmeyi akıl eden iki çiftten biriydik. Ben o günlerdeki kız arkadaşımla dans ediyordum, Piraye de Ömer'le. Hararetli bir şeyler konuşuyorlardı. Neden sonra varlığımızı fark etmiş gibi, geriye doğru dönerek, "Merhaba Haşim ağabey," dedi Ömer. "Bu çayı hazırlayan biz emekçilerin, böyle özel bir mekânda dans etme ayrıcalıkları olmalı, öyle değil mi?"

Has çocuktu Ömer, bizim oralarda "adam gibi adam" denilen cinsten. Öğrenci birliğinde beraber çalışıyorduk. O çayın düzenlenmesinde de emeğimiz çoktu.

Orkestranın gürültüsü arasında sesimi duyurmaya çalışacağıma, başımı sallayarak onayladım Ömer'i. Garip bir ruh hali içindeydim. İstemim dışında, Piraye'nin saf, duru, aydınlık yüzüne takılı kalmıştı bakışlarım. Nasıl oldu bilemiyorum, başını bana doğru çevirmesiyle, bir an için buluşuverdi birbirini tanımayan gözlerimiz.

Rastlantıydı! Başka türlüsünü aklıma bile getiremezdim. Yakın çevremdeki, zamanımın çoğunu beraber geçirdiğim arkadaşlarımdan biri olmasa da belli bir yakınlığımız, paylaşımımız vardı Ömer'le. O da, Piraye de yaşça benden epey küçüklerdi. Tıp fakültesi üçüncü sınıftan diş hekimliğine geçiş yapmıştım ben. Hepsinin ağabeyi sayılırdım. Bu tür bir davranış yakışmazdı bana.

Yüreğimde hareketlenen münasebetsiz kıpırtıyı duymamak için dans ettiğim kız arkadaşımın saçlarına gömdüm yüzümü. Kendimi kendimden saklamak ister gibi...

Piraye'yle yüz yüze gelip konuşmamız, farklı bir şeyleri paylaşmamız için bir ders yılını aşkın bir zamanın geçmesi gerekiyormuş meğer... Bu süre zarfında onu, "Ömer'in kız arkadaşı" kimliğiyle uzaktan uzağa izlemekteydim.

Ve gerçek tanışmamız diyebileceğim o gün! Her dakikası, her saniyesi gözlerimin önünde...

Kantinin kapısında Ömer'le ayaküstü dernek işlerini konuşuyorduk. Tam arkamdan, "Ömer!" diye seslendi Piraye. Ömer'e dönüktü yüzü, onun konuştuğu kişinin ben olduğumu fark etmemiş ya da önemsememişti. Kantindeki sandviçlerden bıktığını anlatıyordu Ömer'e.

Okulun karşısındaki, arnavutciğeri yapan bakkalımızı kastederek, "Ciğerciye götüreyim seni," dedi Ömer. Yüzünü buruşturdu Piraye.

"Yakında yemek yenecek güzel yerler var," diye söze karıştım ister istemez.

"İyi de, bunun için zamanımız yok ki," diye sızlandı Piraye. "Kantinde salata türü bir şeyler olsa ya..."

Başını çevirmesiyle göz göze geliverdik. Başlangıcı olmayan bir söyleşiyi orta yerinden sürdürmeye koyulmuştuk ki, Ömer'in sorusuyla irkildik.

"Siz tanışıyor muydunuz?"

Aynı anda, "Hayır!" diyerek güldük. Tanıştırdı bizi Ömer. Piraye'yi kendi elleriyle bana doğru ittiğinin farkında olmadan...

Hemen ertesi gün küçük bir sürpriz yaparak, beni ona ulaştıracak zorlu yoldaki ilk adımımı attım.

Otoparkın merdivenlerine oturmuş, birini bekliyordu. Ömer'i ya da bir başka arkadaşını. Arabamı tam karşısında durdurup indim. Elimde tuttuğum küçük paketi kucağına bırakıp, "Bu sizin," dedim. İlk şaşkınlığın ardından paketi açtı, tonbalıklı salatayı görünce, "Harika!" diye sevinçle haykırdı. İçime çektiğim çocuksu sevincinin benden kaynaklandığını bilmek heyecan vericiydi. O farkında olmasa da, benim cephemden güçlü bir gönül bağı oluşmuştu aramızda.

Eskiden kantine nadiren uğrayan ben, derslerden ve laboratuvarlardan arta kalan zamanımı kantinde geçiriyordum artık. Ömer'in her seferinde yerinden fırlayıp, "Hoş geldin Haşim abi," diye karşılaması, hemen koşup çay getirmesi içime dokunsa da geri çekemiyordum kendimi.

Ancak, Piraye'ye doğru ciddi bir adım atmadan önce, içimi rahatlatacak, beni benim gözümde temize çıkaracak küçük bir soruşturma yapmayı ihmal etmedim. Ömer'e değil ama, aynı gruptaki yakın arkadaşları Turan'a, Piraye'yle Ömer arasında özel bir şey olup olmadığını sordum.

Yanıt verirken biraz tutuktu Turan, belki de bana öyle geldi. "Bunca zamandır yapışık ikizler gibi beraber geziyorlar ama, sanırım özel bir yakınlaşma yok aralarında."

Bu kadarı yetmişti bana. Ömer'in kendisine sormaya gerek görmedim. Kolaycılığa sığınmak işime geldiğinden... Fazla deşersem, altından görmek istemediğim bir şeylerin çıkabileceği ürküntüsüyle.

Bir akşamüzeri, okul çıkışında Piraye'yle buluştuk. İlk buluşmamıza ev sahipliği yapması için Taksim'deki tarihi pastaneyi seçmiştim. Bir süre havadan sudan sohbet ettik. Sonrasında, Diyarbakır'ı anlattım ona. Yıllar önce ölen dedemin şeyh, babamınsa aşiret reisi olduğunu. Oralarda *Haşim Bey* ya da *Haşim Ağa* diye çağrıldığımı. Tıp fakültesinden diş hekimliğine geçiş yapma nedenlerimi. Daha uzun bir eğitim süresi yerine, kısa yoldan hayata atılıp düzenimi kurma isteğimi... Yüreğimi açmanın zamanı gelmişti.

"Âşık oldum sana Piraye!" dedim lafı hiç dolandırmadan. "Ve... seninle evlenmek istiyorum! Bana evet der misin?"

Üniversite çatısı altında Haşim Artukoğlu'nun evlenme teklifinin üzerine balıklama atlayacak öyle çok kız vardı ki... Ama Piraye onlardan değildi. Hayır demese de, sabırsızlıkla beklediğim bir *evet*'i esirgedi benden.

"Erken," dedi. "Evliliğe hazır değilim. Okul bitmeden bu tür teklifleri aileme taşıyamam."

Ömer'i sordum Piraye'ye. Açık açık... Bana evet dememesinde, onunla olan beraberliğinin payı var mıydı? Duymak istemediklerimin dudaklarından dökülüvereceği korkusuyla, nefesimi tutarak bekledim vereceği yanıtı.

Gözleri uzaklara daldı bir an. "Çok severim Ömer'i!" dedi. "Ancak, kastettiğin anlamda bir yakınlaşma olmadı aramızda. Çok iyi arkadaşız."

"Daha doğrusu arkadaştık!" derken sesindeki titremeyi, hayıflanmayı fark etmemek mümkün değildi. Ama görmezden geldim.

Evet, körkütük âşıktım ona! Ve onu çok seviyordum.. Kaybetmemek için her şeyi göze alacak, önüme çıkacak bütün engelleri yakıp yıkacak kadar. Onun bana âşık olmadığını bildiğim halde... Duygularımı açıklamak için Ömer'le aralarının limoni olduğu bir dönemi özellikle seçme kurnazlığını göstermekten zerrece utanmayarak. Amacıma ulaşmak için, her yolu mubah sayarak...

Zamana, gelişmelerin akışına bırakmıştık vereceğimiz kararları. İçim rahattı. O gelişmeleri, o akışı yönlendirecek olan ben değil miydim zaten?

Okulda herkes biliyordu Piraye'ye evlenme teklif ettiğimi. Bilsinlerdi! Ömer hiç konuşmuyordu artık Piraye'yle, küsmüştü. Bakışlarındaki ifadenin öfke mi yoksa çaresizlik mi olduğu anlaşılmıyordu. Koyu renk camlı gözlüklerin ardına gizlemişti gözlerini. Başında ters taktığı, siperi ensesine dönük bir kasket, serseri mayın gibi dolanıyordu ortalıkta.

Ders ve klinik saatleri dışındaki tüm zamanımızı Piraye'yle birlikte geçiriyorduk. O da ikili gezmelere alışmıştı artık. Önceleri sınıf arkadaşlarından biri yanımızdan geçtiğinde huzursuzlandığını hissederken, gitgide daha rahat davranabildiğini görüyordum. Ne var ki Ömer'le karşılaşmalarımızın, Piraye için kâbustan farkı yoktu hâlâ. Onu görür görmez içgüdüsel bir tepkiyle uzaklaşıveriyordu benden. Başı önde, suçlu gibi.

Ömer'se, benimle sorunu yokmuş, tüm kızgınlığı Piraye'ye yönelikmiş gibi, beni selamlayıp başındaki kasketin siperini öndeyse arkaya, arkadaysa öne çevirerek Piraye'ye olan tepkisini ilettikten sonra yoluna devam ediyordu. Piraye'nin, yaşadığı bu küçücük karenin etkisini uzun süre üzerinden atamadığının farkındaydım.

Gülerek karşılık veriyordum Ömer'e, gerektiğinde konuşuyorduk da. Ardından Piraye'nin yüzünde odaklanıyordu gülüşüm. Birbirine küs iki küçük çocuğa aynı anda ağabeylik eder gibiydim. Anlayışlı, uzlaştırıcı, hoşgörülü...

(Yalan! Hainlikti benim yaptığım. Kim ne derse desin, adı konmamış da olsa farklı bir yakınlık vardı aralarında. Biliyordum, bile bile girdim aralarına. Ben olmasaydım, bambaşka bir yöne doğru ilerleyebilirdi ilişkileri. Ama ne yapabilirdim ki? Madem ben vardım ve güçlü olan bendim, olayların gidişatı da bana göre yön bulacaktı...)

Çok kıskanıyordum Piraye'yi. Sınıf arkadaşlarıyla sıradan paylaşımları bile rahatsız ediyordu beni. Yanında ben olmasam avucumun içinden uçup gidiverecekmiş gibi, açıklanması ve önüne geçilmesi güç, anlamsız bir bencillikle kendime tutsak ediyordum onu. Sınıfça gidecekleri Safranbolu gezisine katılmam da onun isteği dışında, benim kişisel gayretlerimle gerçekleşti.

Onlarla oluşumdan hoşnut kalmamıştı Piraye, biliyordum. Benimse farklı bir kazanımım olmuştu bu gezi sayesinde.

Piraye'yi uğurlamaya gelen annesi ve babasıyla tanışmıştım. Sıra bendeydi. Benim ailemde... İşi resmiyete dökmenin tam zamanıydı.

* * *

İki aile de dünür olmaya hazır görünüyordu. Ancak, evlendikten sonra yerleşilecek şehrin adı konusunda gelgitler yaşıyorduk. Piraye'nin ailesiyle konuştum önce.

Ailemin tek erkek evladıydım. Evli bir ablam ve bizimle beraber oturan bekâr bir kız kardeşim vardı. Çermikliydik. Büyüklerimiz yıllar önce Diyarbakır'a yerleşmişlerdi, ama Çermik'le ve köyle ilişkilerimiz sürüyordu. Doğal olarak ailemin benden farklı beklentileri vardı. Mezuniyetin ardından Diyarbakır'a dönüp muayenehane açmam en büyük arzularıydı. Ama Piraye istemezse, muayenehaneyi İstanbul'da açar ya da fakültede asistan kalabilirdik. Zaman içinde, ortaklaşa verilecek kararlardı bunlar.

Söylediklerimin gerçekliğine kendim bile inanmazken, Piraye'nin ve ailesinin önüne dikensiz bir gül bahçesi sunmaktan başka çarem yoktu. Tek umudum, zaman içinde bir orta yol bulabilmekti. İstanbul-Diyarbakır arasına konuluveren, hangi şehirde sabitleşeceği belirsiz o küçücük nokta, şimdilik yalnızca benim kafamı kurcalayan sinsi bir kara lekeden ibaretti.

Ailemin Diyarbakır'dan gelip Piraye'yi isteyişi, mezuniyetim, nişanımız, Piraye öğrenciliğini sürdürürken benim askere gidişim... Her şey yolunda görünüyor, bizzat benim kurduğum saat tıkır tıkır işliyordu. Bir yerde takılıp arıza çıkaracağını bilsem de, karşımıza dikilecek aksaklığı en az zararla giderip yolumuza devam edebileceğimizi umuyordum.

İlk çatlağı, Piraye'nin son yarıyıl tatilinde annesiyle beraber Diyarbakır'a, ailemi ziyarete geldiklerinde yaşadık...

Ne güzel başlamıştı oysa! Piraye'yle annesine Diyarbakır'ın gezilip görülmesi gereken her yerini gezdirdim. Eski şehre götürdüm onları, kapılara, burçlara, Gazi Köşkü'ne... Annem, babam, kız kardeşlerim Reyyan ve Naran da konuklarını ellerinden geldiğince iyi ağırladılar. Ancak gelinlerini Diyarbakır'a beklediklerini açık açık vurgulamaktan geri durmadılar.

"...Gelinin için yeşil odayı mı hazırlayacaksın anne?"

"...Tek oğlumuz! Hep bugünü bekledik. Yanımızda, bizlerle olmasını..."

Benim suskun kalışımı, ikimizin yerine yaptığı isyan dolu çıkışlarla cezalandırdı Piraye. Hırçın bir gelin adayı görüntüsü verme pahasına...

Ziyaretin son iki gününde bütün yüzler asıktı. Gergin havayı yumuşatmayı beceremedim. Piraye öfkeli, annesi kırgındı. İstanbul'daki Haşim'in, Diyarbakır'da baba evine girince ailesinin sözünden çıkmayan, kendi geleceğiyle ilgili konularda bile ağzını açmaktan kaçınan, pasif, silik bir kişiliğe büründüğünü düşünüyordu Piraye. Kendince haklıydı. Ancak Anadolu'yu, benim doğup büyüdüğüm yöreyi, buranın gelenek ve göreneklerini bilmiyordu. Babamın, atamın, büyüklerimin olduğu yerde bana söz düşmezdi.

Her şeye rağmen, Piraye'ye ve annesine garanti verdim.

"Merak etmeyin, her şey düzelecek. Ne derlerse desinler, son söz benimdir!"

* * *

Askerden dönüşüm, Piraye'nin mezuniyet sınavlarıyla çakışmıştı. İyi bir not ortalamasıyla mezun olabilmek için deli gibi çalışıyordu.

Gelir gelmez, ayağımın tozuyla müjdeyi verdim: "İşim hazır!"

Benden iki dönem önce mezun olmuş Malatyalı bir arkadaşımın Şişli'deki diş kliniğine ortak olacaktım. Sevinçten havalara uçtu Piraye. İstanbul'a yerleşecek olmamız en büyük müjdeydi onun için.

Askerlik dönüşü annemin, babamın elini öpmeden olmazdı.

"En çok bir hafta!" diyerek yola çıktım. Daha fazla kalamazdım, dünyanın işi bekliyordu İstanbul'da beni.

Ne var ki, hiç ummadığım bir sürprizle karşılandım Diyarbakır'da: Annem ve babam, Gazi Caddesi'nde, çarşının tam göbeğinde yeni yapılan iş hanında muayenehane satın almışlardı bana. Cihazlarını yurtdışından getirtmek için benim gelişimi bekliyorlardı.

Kararsızlığımı yenmem zor oldu. Bir tarafta İstanbul'da kurmaya çalıştığım ortaklık ve yabancısı olduğum bir düzen, diğer tarafta mülkü bile bana ait, üstelik kendi memleketimde, müşterisi hazır, kusursuz bir muayenehane... Hayır demek mantığa sığar mıydı? Piraye'yi Diyarbakır'a gelmeye razı edebilirsem, neden olmasındı?

Hemen söyleyemedim ona, sınavlara girip çıkarken kafasını bulandırmak istemedim. O da maalesef benden değil, ortak olmak üzere anlaştığımız arkadaşım Mehmet'ten duymuştu benim Diyarbakır'da muayenehane açmak üzere olduğumu.

* * *

Ne dese haklıydı Piraye! Aldatmıştım onu. Gerçekleşmeyecek hayallerle avutmuş, oyalamıştım. İşte gerçek, heyula gibi tüm heybetiyle karşımızda duruyordu: Ya Diyarbakır'a gelin gelecekti Piraye ya da yollarımızı ayıracaktık. Ne yapardım ben onsuz? Onun olmadığı bir yerde kazanacağım paranın, göreceğim itibarın ne değeri vardı?

Piraye'nin son sınavına gireceği gün, kimselere haber vermeden atlayıp gittim İstanbul'a. Aile boyu bir şaşkınlıktı yaşadıkları. Nasıl karşılayacaklarını, nasıl davranmaları gerektiğini bilemiyorlardı. Piraye, annesi, babası ve ablası... Hepsini karşıma alıp Diyarbakır'da yaşadıklarımı, muayenehanenin kurulma aşamalarını tek tek anlattım.

"İzniniz olursa, Piraye'yi muayenehanenin açılışına götürmek istiyorum," dedim.

Aile fertlerinin hiçbiri karışmadı, Piraye'ye bıraktılar kararı. Büyük olgunluktu doğrusu. Keşke benim ailem de onlar kadar anlayışlı olabilseydi, kuracağımız ikimize ait yaşamda yalnızca Piraye'nin ve benim söz sahibi olmamız gerektiğini düşünebilselerdi.

Soru işaretlerinin hepsi Piraye'de düğümleniyordu. O ise yüzüme bile bakmadan geri çevirdi teklifimi. Annesi ve babası, kızlarını olumlu ya da olumsuz yönde etkileyecek tek söz etmezken, ablası Hatice yapıcı ve uzlaştırıcı tavırlarıyla Piraye'nin aklını çelmeyi başardı.

İlerde kendini suçlamamak, neden gidip görmedim diye hayıflanmamak için... Gelecekte keşke diyeceğine, iyi ki diyebilmek için... Bir arkadaşının işyeri açılışına gider gibi... Neden olmasın?

* * *

Piraye'yle beraber döndük Diyarbakır'a. İstanbul'a aniden, haber vermeden gitmiştim ya... bozulmuşlardı bana. Piraye'ye hoş geldin deyip salonun başköşesine oturttular, bana olan tepkilerini de –Piraye'nin hatırına– fazla uzatmadılar.

Sevinmişlerdi Piraye'nin gelişine. Neden sevinmesinler ki! Gelin adayını ayaklarına getirtmişlerdi, onun yalnızca muayenehanenin açılışına geldiğine inanmıyordu hiçbiri. Diyarbakır gelini olmaya, hatta bu konağa gelin gelmeye razı olmuştu işte Piraye!

İki taraf arasında denge kurmaya çalışmak çok zordu. Ama mutluydum kendimce. Piraye'm yanımdaydı ya, dünya yıkılsa umurumda değildi. Hemen ertesi sabah muayenehaneye götürdüm onu.

Modern tarzda döşenmiş bekleme salonu, en ileri teknikle donanmış, modern cihazların yer aldığı tedavi ve laboratuvar bölümleri, dinlenme ve oturma odalarıyla her diş doktorunun gönlünde yatan mükemmeliyetteki muayenehaneden hiç de etkilenmiş görünmüyordu Piraye. Beni dinlemeliydi ama! Bir kez de benim gözümle bakmayı denemeliydi.

Böyle bir muayenehaneyi İstanbul'da açmak kolay mıydı? Hadi açtık diyelim, buradaki müşteriyi orada bulabilir miydik? İstanbul'da ya da Diyarbakır'da olması ne fark ederdi? Ev konusuna gelince... Haklıydı Piraye ama, ayrı ev açmaya bizim oralarda "gelini dışarı çıkarmak" denirdi ki, Çermik beyinin gelinini dışarı çıkarması yakışık almazdı. Bir yıl, yalnızca bir yıl çekecektik bu sıkıntıyı. Ayrı eve çıkacaktık sonra, söz veriyordum...

Nikâh işlemlerimiz tamamdı, gün almaya kalmıştı iş. Muayenehanemizin açılışını yapar, ardından da düğün hazırlıklarına başlardık.

Farkındaydım, büyük bir kumardı Piraye için. Ya hep, ya hiç! Ve hayatının kumarını oynamaya hazırlanıyordu.

"Tamam," dedi sonunda. "Ama benim de şartlarım olacak."

Düğün istemiyordu ve en az bir yıl çocuk beklemeyecektim ondan. Bir yıl, benim ona yaşatacaklarımın deneme süresiydi. Sınavdı benim için! Bu sınavı başarıyla geçeceğimden ve Piraye'yi aldığı karardan dolayı asla pişman etmeyeceğimden emindim.

Açılıştan sonra İstanbul'a döndü Piraye. Eşyalarını, çeyizini alıp ailesiyle beraber nikâhımıza gelmek üzere.

Nikâhımız, Piraye'nin isteği üzerine salonda değil konağın geniş bahçesinde gerçekleşen düğün yemeğimiz, hemen aynı gün balayı için İstanbul'a uçmamız, Büyük Tarabya Oteli'ndeki ilk gecemiz... Gerçekliğine inanamadığım, güzel bir düş gibiydi yaşadıklarımız.

Ve Diyarbakır'a dönüş!

Yaşamımıza açılan yepyeni bir sayfa.

Umutlar, beklentiler, korkular, acabalar...

Diyarbakır'a hoş geldin Piraye!

* * *

Kabul etmeliyim ki, büyük bir özveriydi Piraye'nin yaptığı. Kısa süreliğine ayrıldığında bile özlediği İstanbul'u, ailesini, arkadaşlarını, tüm sevdiklerini bırakıp Diyarbakır'a, *bana* gelmişti.

Bu kadar çok mu seviyordu beni? Benim onu sevdiğimden bile çok? Hayır! Öyle olduğunu sanmıyordum. Kendisi de dememiş miydi, "İlk bir yıl, senin bana yaşatacaklarının deneme süresi," diye. Gelmese, uhde kalacaktı içinde. Sonrasında, benimki gibi devasa bir sevgiyi, deliyürek bir âşığı bulamazsa, keşkelerle boğuşacaktı ömür boyu. Keşke dememek için, billur bir köşkü yıkıp yeniden inşa etmeyi göze alarak geldi Diyarbakır'a. Asıl *deliyürek* oydu galiba... Âşık olmadan bunca yükün altına girebilmek, herkesin harcı değildi.

Hoş tutmalıydım onu. Hesapta olmayan özlemlerle dolup taşan yüreği daha fazla örselenmemeliydi. Ne var ki aynı konağın çatısı altında annem, babam, kızkardeşim ve çalışan onca emektarın yanında, sevgimi bile gönlümce gösteremiyordum çiçeği burnunda karıma.

Piraye'yse umduğumun çok ötesinde, uyumlu bir Diyarbakır gelini olmuştu. Diyarbakır'ın dört bir yanından ve Çermik'ten hayırlı olsuna, gelin görmeye gelen eş dost, akrabaya davranışları sıcak ve sevecendi. Buralardan bir gelin getirseydi annem, bu kadar iyi ayak uyduramayabilirdi düzenimize.

Konağın kadınları Piraye'nin yedisini (gerdeğin yedinci günü) ikinci bir düğün gibi kutlamaya hazırlanırken, ben de muayenehaneme dönüp çalışmaya başladım. Akşamdan akşama görüşebiliyorduk artık Piraye'yle. Evin kalabalığı, geleni gideni ise günden güne azalacağına, daha da artıyordu. Yetmezmiş gibi annem, Reyyan ablam ve Naran, Piraye'yi *el öpme* ziyaretlerine götürmeye başlamışlardı. Piraye'ye göre işler değildi bunlar! Hiç sesini çıkarmıyor, şikâyet etmiyordu ama, patlamak üzere olduğunu tahmin edebiliyordum.

"Sıkılıyorum," dedi sonunda. "Bir şeyler yapmam gerek. Böyle boş oturmak ağrıma gidiyor."

"Muayenehaneye gel istersen," dedim. "Bana yardım edersin."

Onu avutmak, içine düştüğü çıkmazdan kurtarmak için aklıma geliveren ilk çözümdü ama, pek de hoşlanmamıştım bu durumdan. Ertesi sabah, benim gönülsüzlüğümün farkında olmadan, günlerdir bunaldığı ev ortamından kurtulmanın sevinciyle peşime takılıverdi Piraye.

Onun sevincini paylaşmak, aynı çalışma ortamında beraber olmanın keyfini çıkarmak varken, neden böyle davrandığımı ben bile çözemiyordum. Piraye'nin evde oturması daha mı işime geliyordu ne? İyi de, "Madem çalışan kadın istemiyordun, neden seninle aynı diplomaya sahip bir İstanbul kızını yerinden yurdundan edip buralara getirdin?" demezler miydi adama...

Çalışma masasını gösterip, "Randevu defterini aç," dedim Piraye'ye. "Bak bakalım, ilk hastanın randevusu kaçtaymış?"

"Beni sekreterin olarak mı kullanacaksın?" diye gülerek sitem etti.

Aldırmadım. Yardımcı hemşireymiş gibi, jetokain[1] hazırlamasını, dolgu maddesini dolaptan çıkarıp elime vermesini, telefonla arayanların adını deftere kaydetmesini isteyerek, "Bunlar da bana yardım etmenin bir parçası!" demeye getirdim. Ki, daha fazlasını beklemesin benden!

İstanbul değildi burası. Hastalarımın, hemşerilerimin, ailemin yanında sevgi ve muhabbet sunamazdım ona... Ya muayenehaneye gelmekten vazgeçecekti ya da mesleki yönden aşağılayıcı bir konuma düşmeyi göze alarak, ona öngördüğüm sekreter-hemşire arası görevini sürdürecekti.

* * *

---

(1) Dişetine vurulan uyuşturucu iğne.

Beni yanılttı Piraye, umduğumdan güçlü çıktı. Azla yetinmesini öğrenmişti. Verdiğim ufak tefek işleri yapmaktan hiç yüksünmedi, karşısına diktiğim olumsuzlukları hoşgörüyle göğüsledi.

Muayenehanenin üst katına taşınan göz hastalıkları uzmanı Nurgül'le kısa sürede sıkı bir dostluk kurması, daha da bağladı onu buraya. Nurgül ve cerrah olan kocası Ankaralılardı. Askeri doktordu Emir, hastanedeki görevi süresince Diyarbakır'da kalacaklardı.

Nurgül'ün varlığı iyi gelmişti Piraye'ye. (Bana da!) Sık sık birbirlerine gidip gelmeye başlamışlardı. Çay kahve içip saatlerce sohbet ediyorlardı. Bu sayede ben de kendimi daha özgür hissedebiliyordum.

Ancak, beklenmedik bir gelişme, yeni kurulmaya yüz tutmuş düzenimizi altüst etmeye yetti...

Yoğun bir iş günüydü. İlk hastam, Çermik'ten gelen bir köy imamıydı. Alt çenedeki büyük azı dişini temizleyip dolgusunu yaptım. Piraye de yardımcı oldu bana.

Koltuktan kalkarken, kapının önündeki sandalyeye oturmuş bekleyen başörtülü, yerlere kadar uzun pardösü giyinmiş kadını göstererek, "Bizim hanımın da dişlerine bir baksanız," dedi imam. "İçeri gelsin," dedim. Utana sıkıla, "İznin olursa, gelin ağam baksın ona," dedi.

Anlaşılmıştı, erkek doktorun, mahremine el sürmesini sakıncalı buluyordu imam efendi. Kararsızlık içinde, ne yapacağımı düşündüm bir süre. Sonra Piraye'ye dönüp, "Sen al hastayı," dedim.

Ne zamandır için için özlemini çektiği bu müjdeyle ok gibi yerinden fırladı Piraye. "Gel bacım, otür şöyle," diyerek koltuğa yerleştirdi kadını. Neredeyse köklere kadar inmiş çürükleri temizleyip geçici dolguyla kapattı dişleri. "Gelecek hafta gelmeniz gerekiyor, esas dolguyu o gün yapacağız," dedi kocasına.

Sonraki gelişlerinde yaşlı bir kadın daha vardı yanlarında.

"Bu da anam," dedi imam. "Onun da ağzına bakacaksın gelin ağam..."

Gerisi geldi. Tedaviden memnun kalanlar, bilinçsizce, ağızdan ağıza reklamını yapıyorlardı Piraye'nin. Yalnız Çermik'ten değil, Diyarbakır'ın dört bir yanından kadın hasta yağmaya başlamıştı muayenehaneye. Olayların gelişimi kontrolümden çıkmıştı. Beni bile gölgede bırakma yolundaydı Piraye...

Onun, bileğinin hakkıyla kazandığı başarısının gururunu paylaşamıyordum nedense. Oysa övgüyü fazlasıyla hak ediyordu. Çözemiyordum kendimi, tanıyamıyordum. Onu yalnız karşı cinsten değil, mesleki yönden de kıskanıyordum galiba. Yanlıştı, biliyordum ama, içimdeki *ikinci ben*'e söz geçiremiyordum. Küçücük sevinçleri bile zehir ediyordum ona. Hem de benim desteğime en çok gereksinim duyduğu bir dönemde. Tek avuntusunun, işte yakaladığı yüz güldürücü gelişmeler olduğunu bile bile, evdekilerin huzur vermeyen tavırlarının en yakın tanığı olduğum halde...

Anam ve bacılarım, Piraye'yle benim mahremiyetimize el uzatmayı hak görüyorlardı kendilerinde. Biz evde yokken odamıza girmeler, Piraye'ye ya da bana sorulmadan değiştirilen çarşaflar, ne amaca hizmet ettiğini bilemediğim *büyü* girişimleri (karyolayla yatak arasına serpiştirilmiş, kara çörekotuna benzer tanecikler)... Ne yaparlarsa yapsınlar, hep ailemi savundum, toz kondurmadım üzerlerine. Ancak, Piraye'nin kullandığı doğum kontrol haplarının başucundaki çekmeceden alınıp hem ondan, hem de benden hesap sorulması, Artukoğlu namını yaşatacak bir oğlumuz olmadıkça ikimizin de yüzümüzü yerden kaldıramayacağımızın bir kez daha vurgulanışı, benim bile sabrımı taşırdı.

"Bu Piraye'yle bizim ortak kararımız," dedim. "İzin verin de çocuk konusundaki zamanlamayı biz yapalım!"

Gözlerinin içi güldü Piraye'nin. İlk kez aileme karşı savunmuştum onu...

Zor da olsa orta yolu bulmuştuk. Piraye'yle aldığımız karara göre, randevularımızı yarımşar günlük bölümler halinde paylaşıyorduk. Muayenehane öğlene kadar benim, öğleden sonra Piraye'nin hastalarına hizmet veriyordu. Bu çalışma programı beraberliğimize de belirgin bir rahatlama getirmişti. Ancak, bedenimin derinliklerinde sinsice yaşamını sürdüren *ikinci ben*, çirkin yüzüyle, saldırgan ruhuyla hain ve trajik bir oyun hazırlamaktaydı ikimize. Öyle ki, Piraye'ye karşı bu derece canavarlaşabileceğimi asla, asla, asla düşünemezdim!

Diğerlerinden farksız bir gündü görünürde. Öğlene kadar çalışmış, öğlen yemeğinden sonra muayenehaneyi Piraye'ye ve hastalarına bırakıp çıkmıştım. Ilık, insanın içinde bahar meltemleri estiren, dingin bir hava vardı dışarıda. Arabaya atlayıp Gazi Köşkü'ne gittim. Bunalımlı zamanlarımda yaptığım gibi. Sıkıntılarımı Dicle'nin sularına gömerek, içim ferahlamış olarak şehre dönmek için...

Arabadan inip sağlı sollu iki koldan köşkle buluşan merdivenlerden yukarı çıktım. Bayramlıklarını giyinmişti sanki Gazi Köşkü. Her tarafı saran renk renk güller, menekşeler, köşkten

aşağı yola kadar uzanan yeşillikler arasındaki boy boy ağaçlar...
Bekçinin oğlunun avucuna para sıkıştırıp kırmızı, pembe, beyaz, kocaman bir demet gül toplattım. Piraye için! Ne zamandır gönlünü almamıştım karımın.

Akşamüzeri muayenehaneye döndüğümde, yardımcımız Kevser Hanım açtı kapıyı. Piraye'nin işi bitmemişti henüz. Muayene odasının kapısına geldiğimde, gördüklerim karşısında neye uğradığımı şaşırdım. Piraye, dişçi koltuğundaki yabancı bir adamın üzerine eğilmiş, soluğu onun soluğuna karışarak sözüm ona diş tedavisi yapıyor!

Gerisingeriye döndüm, bekleme odasındaki koltuklardan birine oturup beklemeye başladım. Kevser Hanım olanları az çok tahmin ederek, "Randevusuz hastalardı," diye açıkladı alçak sesle. "Karıkoca öğretmenlermiş. Öğretmen hanımdan sonra kocası da muayene olmak istediydi..." Yanıt vermedim bile, safsata dinleyecek halde değildim.

Önce öğretmen karıkocanın, onların hemen arkasından Kevser Hanım'ın gidişini ayak sesleriyle, konuşmalarla, kapıların açılış kapanış sesleriyle uzaktan uzağa izledim. Sonunda yanıma gelebildi Piraye Hanım! Kapının eşiğinde belirir belirmez elimdeki gül demetini ayaklarının dibine fırlatıverdim.

"Sana getirmiştim!"

Eğilip aldı. "Bu şekilde vermeni gerektirecek ne oldu ki?" dedi.

Fırlayıverdim yerimden. Omuzlarından tutup, "Ne yaptığını sanıyorsun sen? Deli mi edeceksin beni?" diyerek sarsmaya başladım.

"Ne yapmışım, söyle de bileyim."

Çıldırmış gibiydim. Omuzlarından aşağılara inen, menge-neye dönüşmüş parmaklarımla bilinçsizce sıkıyordum kollarını.

"Elin adamının ağzının içine giriyorsun, sonra da utanma-dan ne yaptım diye soruyorsun."

Silkiniverdi birden, var gücüyle iteledi beni. "Unuttun mu?" diye bağırdı. "Doktorum ben! Elin adamı dediğin de hastam."

"Sana o hakkı kim verdi? Hem de maske bile takmadan, ağız ağıza..."

Adım adım, amansız bir krize doğru sürüklenmekteydim.

"Senin gibi bir insan doktor olamaz!" diye isyanla haykırdı Piraye. "Demek ki sen, kadın hastalarının üzerine eğildiğinde farklı şeyler düşünebiliyorsun."

İpler kopmuştu artık. Sırtını duvara yaslayarak boşta kalan elimle çenesini kavrayıp var gücümle sıktım, sıktım...

"Konuşma! Konuşma... Öldürürüm seni!"

Delice bir güçle alabildiğine hırpaladım narin bedenini. Bir kez daha kendini kurtarıp beni uzaklaştırmayı denedi. Ko-lundan tutup rasgele savurdum. Yere kapaklandı. Eğilip ayağa kaldırdım. Yüzümü yüzüne yaklaştırıp, "Haşim Ağa'nın karısı erkeklerin ağzına düşüyor, dedirtmem ben!" diye bağırdım.

"Senin ağalığın bana sökmez!" diye haykırdı son bir gay-retle. "Kapında yanaşman değilim ben! Ağaysan ağalığını bil!"

Elim havada! Son darbeyi indirmekle geri çekmek arasında duraksadım.

"Vur!" dedi Piraye. "Yakışır sana."

Ve... havada asılı kalmış elim, kırbaç gibi, tüm öfkesini bo-şaltırcasına iniverdi Piraye'nin suratına.

* * *

Piraye'nin yüzüne inen tokadın bir eşi de benim suratımda şaklamış gibi, üzerimde başkasına aitmiş gibi duran kaba, hoyrat, saldırgan kimlikten sıyrılıp kendime geliverdim. Nicedir –arzum hilafına– içimde benimle beraber yaşayan, benliğimi, manevi varlığımı, değerlerimi içten içe kemiren; gözlerimi yaşamımdaki biricik ışığa –Piraye'ye– karşı kör kılan o uğursuz *ikinci ben*'i silkeleyip atmıştım bedenimden. Yazık ki bu silkelenme pahalıya patlamıştı bana, pişmanlık duymak için çok geçti artık.

Nasıl olmuştu, akıl erdiremiyordum. Batıl inançlarım yoktu ama, yapılan büyülerin etkisiyle uyurgezer gibi, beni ifade etmeyen, asla bana ait olamayacak aşağılık bir eylemin uygulayıcısı durumuna düşmüş olabilir miydim?

Öyle ya da böyle, çok büyük bir cürüm işlemiştim ben! Tamiri mümkün olmayan, cezası da kendisi kadar büyük bir cürüm.

Ne yapacaktım şimdi? Beni yaşama bağlayan, aldığım her nefeste tüm hücrelerimde varlığını hissettiğim biricik aşkımı –aşkım demek yetersiz kalır, yaşama nedenimdi o!– Piraye'mi kırıp inciteceğime, ölseydim daha iyiydi! Panik halindeydim. "Ya beni bırakır İstanbul'a dönerse?" sorusu burgu gibi oyuyordu beynimi. Korkuyordum. Çok korkuyordum... Onsuzluğu düşündükçe buz kesiyordu elim ayağım.

Saçı başı darmadağın, yanağında beş parmağımın izi, çantasını kaptığı gibi dışarı attı kendini Piraye. Onu durduracak, ayaklarının dibine çöküp af dileyecek yüzüm yoktu.

Nereye gidebilirdi? Fazla seçeneği yoktu, olsa olsa bir üst kata, Nurgül'ün muayenehanesine çıkmıştı. Ancak, bir saat sonra aradığımda orada değildi Piraye. Evet, tahmin ettiğim gibi ilk durağı Nurgül'ün yanı olmuştu, ama sonrasında Diyarbakır'daki tek yakını, nikâhımızda da bulunan aile dostları Turan Bey'le Ümran Hanım'ın evine sığınmıştı Piraye.

Annemle babam, kendilerine yedirip gelmediler. Latife halam, Reyyan, eniştelerim ve ben süklüm püklüm, Piraye'yi almaya gittik. Bilekleri kelepçeli bir suçlu gibiydim aralarında. Başım önümde, gözlerimi yerden kaldırmadan gösterilen yere ilişiverdim.

Halam ve eniştem benim adıma özürler dilediler, gelinimizi alıp evine götüreceğiz dediler. Ne büyük bir utançtı onlar için! Şımarık ağa oğlunun ayıbını temizlemeye çalışıyorlardı.

Hayır, gelmek istemiyordu Piraye. Bir iki gün Ümran teyzesinde kalıp İstanbul'a gidecekti. Hemen ilk uçakla gitmeyi istemişti ama, İstanbul'la yaptığı telefon konuşmasında Hatice ablasının kocasından boşanmak üzere iki çocuğunu alıp eve döndüğünü öğrenince, ikinci bir üzüntü kaynağı olmamak için ertelemişti gidişini.

İyi ki Latife hala vardı yanımda. Uzlaştırıcı, ılımlı ve akılcı yaklaşımıyla gergin havayı yumuşatmayı becerebiliyordu. Söylenenleri dinlemeye bile dayanamayıp mutfağa kaçan Piraye'nin peşinden giderek uzun uzun konuştu onunla. Ne diller döktü bilemiyordum ama bana, bu dengesiz yeğenine gözü kapalı kefil olduğundan emindim.

Salona döndüklerinde, "Bir haftalık bir süre için söz aldım Piraye'den," dedi halam. "Bu süre zarfında salim kafayla enine boyuna düşünecek. Dönüş kararında değişiklik olmazsa, İstanbul'a ben yolcu edeceğim onu."

* * *

Doğruca odamıza çıktık Piraye'yle. Yatağın ayakucundaki berjer koltuğa çökercesine oturdu. Gözlerini sımsıkı kapattı.

"Piraye," dedim usulca. "İnan ki ölmek istedim! Senin ardından, seni kaybetme korkusuyla, sana yaptıklarımın utancıyla... Beni bağışlamanı isteyemem, suçum büyük. Ama yaşananları olmamış say hiç değilse. Göreceksin, hepsini unutturacağım sana."

"Çeneni boşuna yorma," dedi yüzüme bile bakmadan. "Buraya gelişime de farklı anlamlar yüklemeye kalkma. Kararım kesin, en kısa zamanda İstanbul'a dönüyorum."

Yerinden fırlayıp yatağın üzerindeki geceliğini aldı, banyoya geçti. Benim yanımda soyunup giyinmeyi bile içine sindiremiyordu. Yatağın ona ait kısmının en ucuna büzüşerek, sırtını dönüp uzandı. Uykusuz geçecek upuzun bir gece kucaklayıverdi ikimizi.

O geceyi diğerleri izledi. Aynı yatağın içinde, bir ucunda ben, bir ucunda o.

Muayenehane sayfasını kapatmıştı Piraye. Nekahet dönemini süren hasta gibi evde dinlenerek, kitap okuyarak geçiriyordu zamanını. Benimle küs oluşu, evdekilerle yakınlaşmaya itmişti onu. Eskiye göre sıcak sayılabilecek bir yakınlık kurulmuştu aralarında. Ama bana kilometrelerce uzakta duruyor, annemle, babamla, Naran'la uzunlu kısalı sohbetleri paylaşırken, benimle tek kelime konuşmuyordu.

Farkındaydım, gözü kulağı İstanbul'dan gelecek haberdeydi. Ablasıyla eniştesinin mahkemesi için on gün sonraya gün vermişlerdi. Sanırım o vakte kadar Diyarbakır'da zaman dolduruyordu Piraye...

* * *

Yaz başında annemi, babamı ve Naran'ı köye uğurladık. Bekçi ve iki yardımcıyla Piraye'nin can yoldaşı Şehriban dışında kimse kalmadı konakta. Adım gibi biliyordum, annemin taktığıydı bu. Piraye'yle beni baş başa bırakarak yakınlaşmamızı sağlayacaktı aklınca.

Oysa benim işim, annemin düşündüğünden çok daha zordu. Ne desem dinletemiyordum Piraye'ye. Yalnız geçmişteki o kara lekeyi değil, evliliğimizden o güne kadar yaşadığımız her şeyi silip yeni bir başlangıç yapsak... Nikâhımızın yeni kıyıldığını var sayıp iki kişilik bir evde neler yaşayabileceğimizi sınasak... Verdiğim söze göre, yaz sonunda ayrı eve çıkmayacak mıydık zaten?

Hiçbiri işe yaramadı. Ancak, son önerimi geri çeviremedi.

"Yarın akşam Nurgül'le Emir'i yemeğe çağıralım mı?"

O güne kadar hiçbir arkadaşımızı evimizde ağırlamanın keyfini tadamayan karımı en hassas noktasından yakalamıştım.

Bahçeye kurduk masamızı. Emir'le ben mangal yakarken Nurgül ve Piraye de sofrayı hazırladılar. Nurgül'le Emir, kısa süre önce yaşanan kâbusun en yakın tanıklarıydı. Aramızdaki çözümsüzlük kıskacından kurtulamadığımızı biliyorlardı. Onlardan aldığım cesaretle olabildiğince rahat davranabiliyor, keyifli paylaşımımızın arasında içimden geldiği gibi özgürce konuşabiliyordum.

Piraye'nin omzuna teklifsizce elimi atmalar, "Böyle dört dörtlük bir karım olduğu için dünyanın en şanslı adamıyım ben arkadaşım!" demeler, Nurgül'le Emir'in desteğinden aldığım güçle sıraladığım, geleceğe yönelik garantiler, verdiğim sözler... Ve peş peşe kaldırılan kadehler.

Son noktayı koyarken, "Amacım yaşanan kötü kareleri tümüyle silmek ve unutturmak," dedim. "Hiç değilse anımsamaya fırsat bulamayacağı yoğunlukta yepyeni güzellikler yaşatarak, Piraye'yi yeniden kazanmak istiyorum ben!"

Pek alışık olmadığı içkinin de etkisiyle bakışları yumuşamıştı sanki Piraye'nin. O uğursuz günden sonra ilk kez buluşabilmiştim gözleriyle. O gözlerin kuytularındaki eski yerimi yeniden alabilmek için feda etmeyeceğim hiçbir şey yoktu.

Nurgül'le Emir'i uğurlarken, ayakta durmakta güçlük çekiyordu Piraye. Hafiften yalpalayarak bana tutundu. "Şarap iyi gelmiyor bana," diye güldü peltek peltek. Kolumu beline sardım, "Güvendesin artık," dedim. "Sen buna güvenlik mi diyorsun?" diye uzaklaşmaya çalıştı. Boşta kalan bedeniyle sendeledi bir an. Uzanıp tuttum. Soluklarımız birbirine karışıyordu.

"Yürümeyi unuttum galiba," diyerek güldü. Unutacaktı! Beynindeki olumsuzlukların hepsini unutturacaktım ona...

Kristal nadide bir vazo yere düşüp kırıldığında, ne kadar iyi onarılırsa onarılsın, üzerinde bir çatlak kalır.

Nereden duymuştum bu sözü, hatırlamıyordum ama, Piraye'nin yüreğinde, o gün yaşadıklarımızdan en ufacık bir iz kalmasın istiyordum.

Bir kez daha hayran kalmıştım ona. Yediği darbenin altında ezileceğine, doğrulup kalkmasını bilmişti. Onun yönünden ne kadar zor olduğunu tahmin edebiliyordum. Gururunu ayaklar altına sermeden, başını dik tutarak hem beni cezalandırmayı, hem de affetmeyi başarmıştı. Minnet borçluydum ona.

Bu arada, sandığımın aksine Piraye'nin de beni çok sevdiğini düşünür olmuştum. Bir yıllık deneme süresi tanımıştı bana, o şartla gelmişti Diyarbakır'a. Bu süre içinde ona yaşattıklarımdan geçer not aldığımı söyleyemem. İstanbul'daki haliyle taban tabana zıt bir Haşim'le karşılaştı burada. Hoyrat, kaba, hatta sevgisiz! Çekip gitmeyişi, hâlâ yanımda duruşu, sevginin sayesinde değilse nedendi?

Temmuz başında muayenehaneyi kapatıp tatile çıktık Piraye'yle. Urfa, Gaziantep, Adana, Mersin üzerinden, Karadeniz dışında aşağı yukarı tüm sahil şeridini kapsayan gezimizi Çınarcık'ta, Pirayelerin yazlık evinde noktaladık. Piraye'nin ablası Hatice, kocasından boşanmıştı. Beklediğimizin tersine, son derece neşeli karşıladı bizi. Kendi işini kuracağını, anaokulu açacağını anlatıyordu. Özgürlük ve umut, neşe olarak yansımıştı yüzüne.

Tatilimizin sonuna gelmiştik. Bu kez Ankara, Kayseri, Malatya üzerinden Diyarbakır'a ulaşacaktık. Hazar Gölü kenarında son molamızı verdik. Karşılıklı oturmuş çay içerken, "Artık zamanı gelmedi mi?" dedim Piraye'ye.

"Neyin zamanı?"

"Hapları bırakmanın. Bir yıl demiştin ya."

Yanıt vereceğine ilginç bir soru yöneltti bana.

"Tut ki bıraktım hapları... ve çocuğum olmadı! Ne yaparsın böyle bir durumda?"

"Ben bir şey yapmam," diye güldüm. "Ama büyüklerim için garanti veremem. Hemen üstüne kuma getiriverirler. Hem de hiç gözünün yaşına bakmadan..."

Şakaydı tabii, ama bu kadarı bile Piraye'yi altüst etmeye yetmişti. Oysa aklından bile geçirmemeliydi, Piraye'nin üzerine kuma getirmek, mümkün olabilir miydi hiç!

Yazın son günleri... Sonbaharı kucaklamayı bekleyen sabırsız yapraklar önce kızarıp sonra sararırak yavaş yavaş dökülmeye başlamışlardı bile.

Bizimkilerin köyden dönüşüyle eski düzenine kavuşmuştu konağımız. Evle muayenehane arasında bölüştürdüğümüz zaman, bana da Piraye'ye de eskisi kadar tekdüze gelmiyordu artık. Muayene ve tedavilerden arta kalan dakikaları birbirimize ayırıyor, bazen de hoş sürprizlerle şaşırtıyorduk birbirimizi. Okuduğu kitabın arasından sinema bileti çıkabiliyordu Piraye'nin. Ben de kısa tedavi molalarında yalnızca çay kahve içeceğimizi düşünürken, sevdiğim ağız tatlarıyla donanmış küçük bir sofra bulabiliyordum karşımda.

Bir hafta sonra evlilik yıldönümümüzü kutlayacaktık. Kutlama dışında özel bir sürpriz yapmalıydım Piraye'ye. Aile kuyumcumuza gidip güzel bir tek taş yüzük ısmarladım. "Tek taş pırlantama, tek taş pırlanta yaraşır," diyerek verecektim.

Ancak, asıl büyük sürprizi Piraye yaptı. Yıldönümü armağanı olarak beyaz bir kâğıt uzattı bana. Test sonucunun yazılı olduğu rapordu bu. Ve Piraye hamileydi!

Hayatımın en muhteşem armağanını vermişti karım. Müjdeli haber yalnız beni değil, evdeki herkesi sevince boğmuştu. Öyle ki konaktan ayrılıp yeni bir apartman dairesine taşınma kararımıza bile fazla tepki göstermemişlerdi.

Kabul görmeyeceğini bilsem de, nazik bir öneri sundum babama.

"Taşınacağımız apartmandaki dairelerin çoğu henüz boş. İsterseniz karşılıklı iki daire tutarız. Siz de konağın hantal ve dağınık havasından kurtulmuş olursunuz."

"Yani sen, Kenan Artukoğlu'nu kira köşelerine götürmeyi düşünebiliyorsun ha! Koskoca Kenan Ağa, senin tutacağın evin iki göz odasına sığar mı oğul?"

"Peki ben, karım ve doğacak çocuğum, sizin evinizdeki tek göz odaya nasıl sığacağız? Bunu hiç düşündünüz mü?"

Uzunca bir süre suskun kaldı babam. "Yolunuz açık olsun," dedi sonunda. "Güle güle oturun evinizde."

Henüz cinsiyeti bile belli olmayan doğmamış bebeğimize ne ad konulacağı da tartışma konusu oldu aramızda.

"Erkek de olsa, kız da olsa adı hazır torunumun!" dedi annem. "Erkek olursa Kenan. Kenan Artukoğlu! Dedesinin adını yaşatacak torunum."

Buraya kadar tamamdı, beklentilerinin bu olduğunu biliyorduk zaten. Ama bebeğimiz kız olursa, anneannemin adını (Mürüvvet) uygun görmelerine isyan ettik haliyle. Eski köye yeni âdet diyeceklerdi belki ama, umurumda değildi.

"Bence bu karar çocuğu dokuz ay karnında taşıyıp ona canından can veren anneye ait olmalı," dedim. "Bizler yalnızca önerilerimizi koyarız ortaya. Kabul edip etmemek Piraye'ye kalmış."

"Cinsiyetini öğrenmek istiyor musunuz?"

Doktorun sorduğu soruyu, "Hayır," diye yanıtladı Piraye, o tatlı heyecanı son ana saklamayı yeğliyordu.

Anneme göre, bebek erkekti. Piraye'nin tatlıya olan düşkünlüğünü öne sürerek, "Tatlı yiyen oğlan, ekşi yiyen kız doğurur," diyordu.

Boş inanışlardı bunlar. Akıllı kadındı annem, böyle olduğunu o da biliyordu ama gönlünden geçeni, yüreğinin istediğini, tüm aile bireylerinin özlem ve beklentisini dile getirmekten kendini alamıyordu. Evet, Artukoğlu ailesi Piraye'nin kucaklarına bir erkek evlat vermesi için gün saymaktaydı...

Ailemin beklentisi boşa çıktı. Piraye'yle beni mutluluğa boğan, minicik varlığıyla bizi bambaşka âlemlere taşıyan bebeğimiz kızdı. İkimiz için de eşi benzeri olmayan, ölçülemez değerde bir ödüldü o.

Annem bebeğin erkek olmamasından duyduğu üzüntüyü açıkça yansıtmaktan kaçınmıyor, ancak bebek görmeye gelen konukların yanında, "Kızı veren Allah oğlanı da verir," diyerek başını dik tutmayı başarıyordu.

Önceden konuştuğumuz gibi, bebeğin adını Piraye koyacaktı.

"Dicle!" dedi Piraye ve bu adı seçmesinin nedenlerini açıkladı. "Diyarbakır'a borcum var. Seni kazandırdı bana, kızımı armağan etti. Ben de onu Dicle diye çağırarak borcumu ödemeye çalışacağım..."

Başta annem olmak üzere, kız kardeşlerim, akraba, eş dost, komşu taifesinden dilinin altı dolu bütün kadınların Piraye'nin başına ekşiyip ikinci çocuk muhabbetiyle canından bezdirmek için ellerinden geleni artlarına koymayacaklarını biliyordum.

Ama bu kadar çabuk harekete geçeceklerini aklıma getirmemiştim doğrusu.

Henüz beşinci ayını doldurmuşken ilk dişini çıkardı Dicle'miz. "Diş hediği[1] yapalım," dedi annem. Kutlama töreninde yaşananları Piraye'den, ama daha çok Şehriban'ın anlattıklarından öğrendim.

Dicle'yi, çeşit çeşit yiyeceklerin sıralandığı masanın ortasındaki siniye oturtup, kadınların bir ağızdan çektiği tilili[2] sesleri arasında hedik tanelerini başından aşağı dökmüşler kızımın. Yeme, içme, eğlence faslı arasında hep aynı noktaya geliyormuş sohbetler.

"Darısı bundan sonrakinin başına..."

"Arkası erkek bunun!" (Çocuğun yüz ifadesi, bir sonra doğacak çocuğun cinsiyetini belirlermiş ya...)

"Elini çabuk tut gelin hanım! Lamia Sultan'ı daha fazla bekletme..."

"Üst üste doğurdu, kurtuldu Reyyan..."

Eve dönerlerken Şehriban'a dert yanmış Piraye. "Kızım henüz altı aylık," demiş. "Üzerine gelecek kardeşle ikinci plana atmaya kıyamam onu."

"Yanlış düşünüyorsun gelin ablam," demiş Şehriban da. "Doğuracağın erkek çocuk, onun değerini de artıracak. Bugün *kız* diye içlerinden dudak büktükleri Dicle, erkek ablası olarak farklı bir kişiliğe bürünecek gözlerinde."

* * *

---

(1) Bebeğin diş çıkarmasının yakınlarla, eşle dostla beraber tatlı ve tuzlu hedik (buğday) kaynatılarak eğlencelerle kutlanması.
(2) Coşkulu anlarda ortaya konan bir haykırış sesi.

Zordaydı Piraye'm! Önceleri ikinci doğum için aradan en az üç yıl geçmesi gerektiğini söylerken, bu konuda tek söz etmiyordu artık. Açık açık konuşmamıştık ama, kendine tanıdığı süreyi kısaltmayı düşündüğünü sezinliyordum. Karışamazdım ona. Özgürdü Piraye, zamanlama yapma konusunda karar vermek onun hakkıydı...

Annemin dediği gibi olmadı. Kız çocuğunu veren Allah, değil erkek çocuğu, ikinci bir evladı bile çok gördü bize.

Dicle'nin ikinci yaşını doldurduğu yazın, yaşamımızı altüst edecek önemde, beklenmedik gelişmelere gebe olduğunu bilmiyorduk henüz. Sıcakların bastırmasıyla Dicle'yi alıp İstanbul'a gitti Piraye. Oradan Çınarcık'a geçeceklerdi. Ben de yaz sonuna doğru gidip kısa bir tatil yapacak, sonra da hep beraber Diyarbakır'a dönecektik.

Piraye'yle Dicle yokken konakta kalıyordum ben... Gidişlerinin üzerinden henüz bir hafta geçmişti ki, Piraye'nin telefondaki sesiyle hayrete düştüm. "Biz geldik," diyordu. "Sana anlatacaklarım var."

On dakika sonra karşısındaydım.

"Bitti!" dedi Piraye. "Hiçbir umudumuz kalmadı artık. Kısırım ben!"

Şaşkınlıktan donakalmıştım. Anlattı... Aylardır tek başına sürdürdüğü mücadeleyi tüm ayrıntılarıyla önüme serdi.

Önceki yaz, İstanbul'dan döndükten sonra doğum kontrol haplarını bırakmış ama hamile kalamamış Piraye. Diyarbakır'da Dicle'nin doğumunu yaptıran doktora gidip muayene olmuş, ultrasona girmiş. Yumurtalık kanalları bulanık görünüyormuş ama önemsememiş doktor. İltihap olabileceğini varsayarak güçlü bir antibiyotik yazmış. İki aylık da hormon tedavisi.

Hiçbir yararı olmamış ilaçların. Aradan üç ay geçmiş ve hâlâ hamile değilmiş Piraye. Ankara'dan yeni gelen bir başka doktora gitmişler Nurgül'le beraber. "Her şey son derece normal," demiş doktor. "Psikolojik baskılara tepki tarzında, hamileliği reddediyor olabilirsiniz." İlaç bile vermemiş.

Belirsizlik düğümünün çözümünü İstanbul'da aramaktan başka çaresi kalmamış Piraye'nin. İstanbul Üniversitesi Tıp Fakültesi'nde öğretim üyesi olan bir profesörün özel muayenehanesine gitmişler ablasıyla beraber. Yine muayene, yine ultrason...

"Yumurtalık kanallarınız tıkalı!" demiş doktor. "Yer yer yapışıklıklar var. Bu yüzden hamile kalamıyorsunuz."

"Çaresi yok mu?"

"Kanal çeperleri yapışık görünüyor. Açılması olanaksız."

"Yani?"

"Bu şartlarda çocuk sahibi olamazsınız."

"Kısır olduğum anlamına mı geliyor bu?"

"Maalesef!"

"Durum bu!" dedi Piraye. "İşte yolun sonu! Artukoğlu ailesinin dört gözle beklediği erkek evladını asla veremeyecek, kısır bir gelinim ben. Benden sana hayır yok. Başının çaresine bakabilirsin."

"Deli misin sen!" diye fırladım yerimden. "Çocuğun olmayacak diye senden vazgeçeceğimi nasıl düşünebilirsin?" Dicle'yi kucaklayıp göğsüme bastırdım. "İşte kızımız var ya! Siz ikiniz yetersiniz bana."

"Ya annen... baban... Kısır bir gelinin varlığı onlar için de yeterli mi?"

"Bırak onları. Benimle evlisin sen. İkimizin dışında kimse bozamaz bu beraberliği."

"Anlat," dedi Piraye. "Anlat onlara. Açık açık, hiçbir şeyi gizlemeden. Hemen, şimdi!"

Dayanamadım ısrarlarına, Dicle'yi alıp çıktım. Bizimkilerin, kız da olsa torunlarını özlediklerini düşünüyordum...

Çıkarken, çabuk dönerim demiştim Piraye'ye ama, ancak üç saat sonra dönebildim. Aileme durumu açıklama mücadelem, tahmin ettiğimden çok daha çetin geçmişti.

"*Kız kısırı* derler buralarda," dedi annem. "Ne anlama gelir, bilir misin? Gelin gelir, bir kız doğurur. Ardından dölyatağı taş kesilir, ürün vermez olur. Kız kısırıdır artık gelin. Piraye gibi! Kız kısırı olup da yeniden doğurabilen birini hiç görmedim şimdiye kadar. Devası olmayan bir derttir anlayacağın. Piraye'yi severim. Kız da olsa bir torun verdi bize. Ama o kısır kaldı diye, oğlumu körocak bırakacak değilim ya!"

"Ne demek oluyor bu?"

"Madem karın doğuramıyor, doğurabilecek birini buluruz biz de. Piraye kadar güzel ve becerikli olması şart değil. Köyden bir kız... Yalnız çocuk doğurmak için! Doğumdan sonra işi biter. Yüzünü bile görmez Piraye. Çocuğu alır getirir, sizin nüfusunuza kaydederiz. Piraye doğurmuş gibi, ikinizin çocuğuymuş gibi, Dicle'yle beraber büyütür gidersiniz."

"Olmaz öyle şey!" dedim. "Bu söylediklerini hiç duymamış olayım."

* * *

Sözlerim, annemin bir kulağından girip diğerinden çıkmış. Hemen ertesi sabah eve gelip, bana söylediklerini bir kez de Piraye'ye anlatmış. Ya razı olursun ya da çekip gidersin demeye getirmiş.

"Boş ver, beni etkileyemeyeceklerini görünce vazgeçerler," diyerek yatıştırmaya çalıştım Piraye'yi.

Ne desem boştu. Yaşadıkları, o güzel yüzünü soldurmaya, eski canlılığını ve neşesini silip süpürmeye yetmişti.

Biraz hafife almıştım galiba annemi. Tuttuğunu koparan, kopardığını paramparça etmeden bırakmayan Lamia Hanım, kolay kolay pes eder miydi hiç!

Bir sabah erkenden muayenehaneye telefon açtı annem. "Köyden birileri gelecek, ilgi göster," dedi. Geldiler. Bir genç kızla iki kadın. Kızın iki çürük dişi vardı, dolgu yaptım, gittiler. Aradan bir saat geçti geçmedi tekrar aradı annem. "Kızı nasıl buldun?" dedi. "Beğendin mi?"

Olacak iş miydi bu? Ne sanıyordu beni? On sekizinde, anasının bulduğu kızla evlenecek köy delikanlısı mı?

Olanları tüm ayrıntılarıyla anlattım Piraye'ye. "Sen bana yetiyorsun, yeteceksin de; onlar da öğrenecek bunu," dedim. "Ama bu yaz İstanbul'a gitmek yok! Yalnız bırakmayacaksın beni. Dicle, sen ve ben... Öyle güçlü duracağız ki, değil bizi yıkmaya, sarsmaya bile yeltenemeyecekler."

Söz verdi Piraye, beni bırakıp İstanbul'a gitmeyecekti. Yaz ortasında beraberce çıkacaktık tatile...

Ne var ki sözünü tutamadı. Henüz yaza ulaşmadan, İstanbul'dan gelen bir telefon yaptığımız planları altüst ediverdi.

Babası felç olmuştu Piraye'nin. Yoğun bakımdaydı. "Gelsen iyi olur," demişti ablası.

"Gideceksin tabii," dedim. "Aklın bende kalmasın. Başımın çaresine bakarım ben.

Gittiler... Piraye'yle Dicle'yi defalarca kucaklayıp öpe koklaya bindirdim uçağa. En kısa zamanda kollarıma dönmelerini dileyerek...

Piraye'nin babası Fikret Bey'in durumu ağırdı, ciddi bir beyin kanaması geçirmişti. Bir hafta içinde hayati tehlikeyi atlattı, ama bir yanı tutmuyor ve konuşamıyordu. Annesi perişandı, Piraye'yle ablası nöbetleşe kalıyorlardı hastanede.

Bir ayın sonunda taburcu oldu Fikret Bey, eve çıktılar. Ama Piraye, Diyarbakır'a dönmeyi düşünemiyordu bile. Her gün fizik tedavisine götürüyorlardı babasını. Ablası anaokulundaki işiyle ev arasında mekik dokuyordu. Annelerininse, Fikret Bey'e yârenlik etmenin dışında hiçbir katkısı olamıyordu. Bu durumda nasıl bırakabilirdi onları?

Sık sık konuşuyorduk Piraye'yle. Aklı bendeydi, geciktiği için kendini suçluyordu. Elimden geldiğince teselli ettim. Köye gidecektim zaten... Babamın tansiyonu yükselmiş, hasat işi bana kalmıştı. Burayı düşünmesindi. Ben de burada olmayacaktım nasılsa. Gerektiği kadar kalabilirdi İstanbul'da...

Yaşlanmıştı babam. Kavurucu yaz sıcağında, tarladan tarlaya savrulup hasadın başında durmak ona göre değildi artık. Kalabalık bir çalışan kadrosu vardı bu işi kotaracak ama, hasat zamanı başlarında ağalarını görmek isterdi köylüleri, öyle alışmışlardı. Madem babam orada olamayacaktı, bana düşerdi bu iş.

Hafta sonu muayenehaneyi kapatıp Çermik'e, köye gittim. Babam, son gördüğümden de sağlıklı ve sağlamdı. Oyun oynamışlardı bana. Çağırma nedenlerini baştan söyleseler, gelmeyeceğimi biliyorlardı çünkü. Lafı dolandırmadan, tepeden inme konuya girdiler. Fazla uzamıştı bu iş, hazır Piraye yokken, fırsat bu fırsattı. Gelin adayı bile belliydi, annemin muayenehaneye gönderdiği akça pakça köylü kızı Zühre!

Annem, babam, sırf onlara destek vermek için Diyarbakır'dan buraya gelmeye üşenmeyen Reyyan ablam, bir adım geride dursa da diğerlerini sessizce onaylayan Naran, bir hafta boyunca kafamın içini, beynimi oydular. Gözaltındaki suçlulara uygulanan manevi işkencenin bin beterini uyguladılar bana. Onca kişiye, onlarca dile karşı tek başıma savaş verdim. "Asla!" diye haykırdım. "Hayır!" diye ter ter tepindim. Çıkıp gitmek, orayı terk etmek istedim, kolumdan çekip oturttular.

Son sözü babam aldı. "Ya he dersin ya da bir daha dönmemek üzere çekip gidersin buralardan," dedi. "Ne biçim ersin sen?" diyerek aşağıladı beni. "Amcalarının, atalarının yolundan yürüyeceğine... Millet keyfi için karı üstüne karı alıyor, sen kısır karının peşine takılmış, adını sanını sürdürecek erkek evladın hasretiyle kavrulup körocak kalmaya razı oluyorsun..."

Taktik değiştirip daha yumuşak bir üslupla devam etti.

"Bak oğul, bizi, aileni, sülaleni çiğneyip geçme. Asıl nikâhın Piraye'de. İmam nikâhı kıyalım şu kızcağıza, gerdeğe gir. Sonra çek git, işine gücüne dön. Canın çektiğinde gelir görürsün buradaki karını. Çocuk olduktan sonra hiç uğramasan da olur. Hadi oğlum, bu yaştan sonra uğraştırma beni. He de şu işe... Yemin billah, babalık hakkımı helal etmem sana!"

Teslim oldum! İdam cezası verilmiş mahkûmun kendi ipini çekmesi gibi. Yolun sonu olduğunu bile bile. Piraye'nin, Dicle'nin, benim; mutluluğumuzun, umutlarımızın, içimizde boy vermiş iyiye, güzele dair ne varsa hepsinin, her şeyin mutlak sonu...

Gerdek odasından dışarıya, açık havaya çıktığımda böğüre böğüre ağladım. Evet, böğüre böğüre!

"Allah kahretsin beni!" diye haykırdım göklere. Gecenin sessiz karanlığının derinliklerinde yankılandı sesim...

Hiç bu kadar sefil bir duruma düşmemiştim. Damızlık bir hayvan gibi hissediyordum kendimi...

* * *

Günlerdir konuşmamıştık Piraye'yle. Ne telefon açacak, ne de telefona çıkacak gücüm vardı. Muayenehaneyi arayıp sekretere, "Birileri bizi karşılasın," diye not bırakmış.

Piraye, kızım Dicle'm! Üç aydan sonra Diyarbakır'a, yuvalarına dönüyorlardı. Yerin yedi kat dibinde olsam, koşup gitmez miydim? Gidemedim! Yardımcılarımdan birini gönderdim karşılamaya. Şehriban da evde bekleyecekti yollarını.

Ben... yoktum! Keşke gerçekten yok olabilseydim.

Biliyordu! Şehriban olanı biteni anlatmıştı Piraye'ye. Yediği darbenin ardından, öfkesinin zirveye vurduğu şu günlerde karşısına çıkamazdım. Benim hakkımda neler düşündüğünü az çok tahmin edebiliyordum. Kararlarının arkasında durmayı beceremeyen, direnme gücü zayıf, yaşamına yön verecek en hayati konularda bile ailesine "hayır" diyemeyen, kişiliği zayıf bir zavallıydım onun gözünde. Büyük bir ihtimalle, ilk karşılaşmamızda bunların hepsini yüzüme haykıracaktı. Haykırsındı, razıydım, ne yapsa hakkıydı Piraye'nin. Ama görüşmek için ortalığın biraz yatışmasını beklemem gerekiyordu.

Şehriban'dan alıyordum haberlerini. Bir haftadır evden dışarı adımını atmamıştı Piraye. Saatlerce masanın başında oturup önündeki kâğıtlara anlamlı anlamsız şekiller çiziyor, beğendiklerini çerçeveleyip beğenmediklerini karalayarak geçiriyordu zamanını. Anlam veremiyordu onun bu haline Şehriban. Gelin ablası, kendini oyalamak ve bu dar günlerinde ayakta kalabilmek için değişik bir yöntem üretmişti galiba.

Şehriban, "Piraye ablam masadan kalktı, kâğıtları karalamıyor artık, iyi görünüyor," dediğinde, ilk sarsıntının yarattığı etkinin biraz olsun azaldığını düşünerek Piraye'yle görüşmek istediğimi söyledim.

Tamamdı, benimle görüşmeyi kabul etmişti Piraye.

O akşam elimde kocaman bir buket gülle, ziyaret için gelmiş yabancı bir konuk gibi kendi evimin kapısını çalarken, ev sahibi tarafından nasıl karşılanacağımın merakı ve ürküntüsü içindeydim.

İkimizin de gözleri yerde, birbirimize –bakamadan– Dicle'yle ilgilendik bir süre. Şehriban, Dicle'yi uyutmaya götürünce de baş başa kaldık Piraye'yle.

"Ne söylesen haklısın!" diye başladım. "Bağır, çağır, vur, kır, tokatla beni. Hepsini fazlasıyla hak ettiğimi biliyorum. Ama çaresiz kaldım!"

Tepkisiz, umursamaz hali garibime gitti. "Susma," dedim. "Bir şeyler söyle. Bağır, küfret, aşağıla... ama sesini duyur bana."

"Ne diyeyim, hayırlı olsun. Tüm içtenliğimle kutluyorum seni. Ailene layık bir evlat olduğunu kanıtladın."

Göstermelik bir evlilik... Yalnızca çocuk için! Geri planda kalmaya mahkûm, yüzünü bile görmeyeceği, köyde yaşayan bir kadın... Hamile kalana kadar! Sonra bitecek... Önemli olan ondan alacağımız çocuk!

Kendimden geçmiş, anamın babamın bana anlattığı masalları ben de Piraye'ye anlatıyordum.

"Ne kadar acımasızsınız!" diye kesti öfkeyle. "Sizin gibi zalimlerin eline düşmüş bir zavallı, o kadın. Ekilmeye hazır bir tarla sanki... Tohumu atacaksın, vereceği ürünü alıp yüzüstü bırakıvereceksin, öyle mi?"

"Tersi mi olsun isterdin? Karşındaki hasmı neden savunduğunu anlayamıyorum."

"Ortada hasım falan yok Haşim Bey!" diye çıkıştı Piraye. "Kuma konumunu asla yakıştırmıyorum kendime. Hani kir tutmayan üstü kaygan taşlar vardır, ne dökersen dök üzerine, bulaştıramazsın. Beni de öyle düşün. *Kuma* diye zorla giydirmek istediğiniz elbise, üzerimden kayıp ayaklarımın altına seriliveriyor. Sözün kısası, sana çocuk verecek bir eş buldun ama, eskisini yitirdin. Bu elbise bana uymaz Haşim Bey!"

Son sözünü söylemişti. Ne dedimse, ne kadar yalvardımsa tek bir geri adım attıramadım Piraye'ye. Kararını vermişti, kesinlikle ayrılacaktı benden. Ama bir süreliğine Diyarbakır'da, benim artık kapısından adımımı atamayacağım bu evde kalacaktı. Babasıyla ilgili sorunlar ve ileriye dönük planları böyle olmasını gerektiriyordu.

Kararlılığı, şaşılacak derecede sakinliği ve kendinden emin haliyle söyleyecek söz bırakmadı bana. Birkaç küçük soru vardı kafamı kurcalayan, onları sordum.

Arada bir onu görebilir miydim? Hayır. Ama istediğim zaman Dicle'yi görebilecektim.

Boşanacak mıydı benden? Evet! Ama onun da bir zamanı vardı...

Zühre, kendisine biçilen rolün hakkını vermek ister gibi, çarçabuk hamile kalıverdi. Sevineyim mi, üzüleyim mi bilemedim. Artukoğlu ailesinin beklediği çocuğun doğması, esaretimin bitiş müjdesi olabilirdi. Ancak, Piraye'nin beni yeniden kabullenmesi mümkün görünmüyordu.

Aylardır görmüyordum Zühre'yi. Doğum için Diyarbakır'a gelinceye kadar da görmeyecektim. Beklenen doğumun, trajik bir tabloyla karşımıza çıkacağını, boz bulanık bir sel misali, hepimizi önüne katıp belirsizliklere sürükleyeceğini nereden bilebilirdim...

Haberi aldığımda muayenehanedeydim. Naran'ın, telaştan boğuklaşmış sesini tanıyamayacaktım neredeyse.

"Zühre doğurmuş!" dedi. "Erken doğum!" diye ekledi hemen. "İki ay erken gelmiş bebek. Şehre getirememişler, aniden sancılanınca köyde doğuruvermiş. Ama... ebe yetişene kadar... kordon boynuna dolanmış bebenin. Uzun süre öyle kalınca da... sakat doğmuş! Boynundan aşağısı tutmuyormuş. Yoldalar şimdi. Diyarbakır'a, hastaneye getiriyorlar."

Ardı ardına gelen çarpıcı haberlerin dehşetiyle öyle afallamıştım ki, çocuğun cinsiyetini sormak bile gelmedi aklıma.

Önemsiz bir ayrıntıyı sona saklamış gibi, "Gene bir kızın oldu Haşim Ağam," dedi Naran.

Koltuğa yaslanıp gözlerimi kapadım. Bana göre bu olanların tek açıklaması vardı: Piraye'nin *ah*'ı tutmuştu! Erkek evlat uğruna yeri göğü birbirine katan Lamia Hanım, doğuştan engelli bir kız çocuğunu alacaktı kucağına.

Hey gidi Artukoğlu ailesi, hey! Anamın, babamın, bacılarımın ayakları suya erip de ne boş çabaların içinde debelendikleri kafalarına dank edecek miydi acaba?

Kraliyet ailesi veliaht bekliyordu sanki benden!

"Al işte, layığın budur!" dedi o yüce güç. Ve en başta ben olmak üzere, hepimizi paylarımıza düşen cezaları çekmeye mahkûm etti...

İlk günden beri uzaktan uzağa, attığı her adımı takip ediyordum Piraye'nin. Dicle Üniversitesi Diş Hekimliği Fakültesi'ne girip çalışmaya başlaması sevince boğmuştu beni. "Bir süreliğine, oyalanmak için," demişti Şehriban. Olsundu, aynı şehirde yaşadığımızı bilmek bile yeterdi bana.

Tatillerde ya da tatil dışında fırsat buldukça sık sık İstanbul'a gidiyordu Piraye. Yaz başında işten ayrıldığını ve soluğu İstanbul'da aldığını duyunca huzursuzlandım. Her an her şey olabilirdi...

İki haftalık yaz tatilini yeterli görmüş gibi erkenden Diyarbakır'a dönünce iyice işkillendim. Neler olduğunu bilmeliydim.

Hafta sonunu, görüşme günümüzü beklemeden Dicle'yle Şehriban'ı alıp konağa götürdüm. Dönüşte teklifsizce yukarı çıkıp Piraye'nin karşısına dikildim. Konuşmam gerekiyordu onunla...

Hayret, uzun zamandır ilk kez gülümseyerek bakıyordu bana. "Dayanamıyorum Piraye," diye başladım. "Kaldıracağımın çok üstünde bir yükün altındayım. Yaşadıklarım yetmezmiş gibi, bir de bakıma muhtaç engelli bir çocuğun yükü bindi omuzlarıma. *Kader* koyduk adını. Kaderin bize oynadığı oyunun ürünü olarak karşımda duran kızıma daha uygun bir ad bulamadım... Bunları seninle paylaşmak istedim Piraye. Tek arkadaşım sensin!"

Büyülü bir cümleydi sanki. Dudaklarımdan dökülüp Piraye'ye ulaştığında, onun kaskatı kesilmiş yüz hatlarını bir anda gevşetivermişti. *Tek arkadaşım sensin!* Doğruydu; yatağımı, soframı, yuvamı başkalarıyla paylaşsam da, arkadaşım olma ayrıcalığı yalnız Piraye'ye aitti.

"Bu yaz fazla kalmadınız İstanbul'da," dedim.

"Tatil için gitmemiştik," dedi kısaca.

"Tatil!" diyerek içimi çektim. "Dicle'yle seni alıp tatile gidebilmek için neler vermezdim..."

Bakışlarındaki yumuşamadan cesaret alarak, "Ama hep beraber yemeğe çıkabiliriz, öyle değil mi?" deyiverdim.

"Diyarbakır küçük yer," diye güldü. "Herkes durumumuzu az çok biliyor. Görenlerin yanlış yorumlamasını istemem."

Benim yanımda pek söze karışmayan Şehriban, "Kimin ne demeye hakkı var abla?" diye şaşırtıcı bir çıkış yaptı. "Nikâhlı karısı değil misin Haşim Ağamın?"

* * *

Seyrantepe'de geniş bir arazi üzerine kurulmuş, yeşillikler arasındaki restorana daha önce de gelmiştik Piraye'yle. Bu kez baş başa değildik, içinde bulunduğumuz şartlar da öncekilerden çok farklıydı. Ama ben mutluydum, hem de çok. Bana bu sevinci yaşatan Piraye'ye minnet borçluydum.

"İyi akşamlar Haşim Bey! Siz buralara gelir miydiniz?"

Annemin can dostu, sırdaşı Nermin Hanım ve kocası! Gözleri Piraye'yle Dicle'nin üzerinde... İnceden inceye süzerek, konuşmayı uzatarak dedikodu malzemesi toplamaya çalışıyorlardı. Daha ben eve dönmeden, bu haberi anneme ulaştıracaklarından emindim.

Duyduğunda, annemin yüzünün alacağı hali gözlerimin önüne getirmeye çalıştım... İster istemez gülüverdim. Piraye'yle Şehriban da durumdan hoşnut görünüyorlardı, hınzırca bir gülüşte birleşmişti bakışları.

Nermin Hanım'la kocası yanımızdan ayrılırken, "Şu tatil önerin," dedi Piraye. "Hâlâ geçerli mi?"

Duyduklarıma inanamıyordum. "Piraye!" diye haykırdım. "Bana yeniden can verdiğinin farkında mısın?"

Piraye, Dicle ve ben...

İskenderun'un tatil beldesi Arsuz'da, daha önce Nurgül ve Emir'le gelip kaldığımız kıyı oteline yerleştik.

Dışardan bakıldığında imrenilecek, mutlu bir aile tablosu çiziyorduk. Çözümsüzlüklerimizi denizin koynunda, kumların sıcağında erimeye bırakmıştık. Zaman zaman aynı keşke'lerde buluşuyordu gözlerimiz. Hemen toparlanıyorduk. Bir daha tekrarı olur muydu, emin değildik. Önümüzdeki birkaç günü eskilere yanıp yakılarak geçireceğimize, bedenlerimizi deniz, kum ve güneşin büyülü çekimine teslim etmiş, yeniden bir arada olmanın hakkını vermeye çalışıyorduk.

Dicle için yorucu bir gündü. Sabahtan akşama deniz, kum, kaydırak, salıncak arasında geçirdiği saatlerin sonunda, yemeğini bitiremeden sandalyenin üzerinde uyuyakaldı. Kucağıma alıp odaya taşıdım onu, yatağına yatırdım. Piraye'yle beraber, kızımızın uykuya teslim olmuş masum yüzünü seyre daldık.

Dicle'nin aradan çekilip bizi baş başa bırakmasıyla ağır bir hava oluşmuştu aramızda. Balkona çıkıp oturduk Piraye'yle. Ay ışığında harelenen denizin serin sularına diktik gözlerimizi. Uzanıp elini tutmak istedim. Ani bir hareketle kalkıp içeriye geçti. Orada bulunuşunun tek nedeninin kızı olduğunu vurgulamak ister gibi Dicle'nin yanına gidip üstünü örttü.

Nasıl davranacağımı bilememenin kararsızlığı içindeydim. Yumuşak bir hareketle kendime doğru çektim Piraye'yi. Karşı dursa bırakıverecek, ısrarcı olmayacaktım.

O da aynı kararsızlığı paylaşıyordu benimle. Kollarıma sığınmakla, sıyrılıp kaçmak arasında gelgitler yaşadığının farkındaydım. Başını omzuma gömdü... O tanıdık sıcaklığını bedenimde hissetmemle kapılıverdiğim tatlı sarhoşluk, Piraye'nin beni itip geri çekilmesiyle yarım kaldı.

Neler hissettiğini tahmin edebiliyordum. "Tek arkadaşım sensin!" sözünün sayesinde buradaydık. Benim arkadaşım olmak, deniziyle güneşiyle, baş başa yenen akşam yemeğiyle tatil keyfini benimle paylaşmak, Piraye'nin ayrıcalığıydı. Öteki kadın bunu yapabilecek durumda değildi. Ama bedenlerin yakınlaştığı anda onunla eşitleniyordu. Bir başka kadının varlığını, kocasının o kadına da aynı dokunuşlarla yaklaştığını bile bile eski günlerdeki gibi, pürüzsüz bir coşkuyla sokulabilir miydi bana?

İlk kez gördüğü birini tanımak istermiş gibi, dikkatle yüzüme bakıyordu Piraye. Kuşku duyduğu karanlık bir noktayı ışığa kavuşturmuş gibi, kararlı bir tavırla, "Eskilerin Haşim'isin sen!" diye fısıldadı. Sımsıkı yumdu gözlerini, başını omzuma yasladı yeniden.

Eski günlere çağırıyordu beni. Eski günlerin Haşim'i ve Piraye'si olabilmek için...

Diyarbakır'a döndükten sonra, birlikteliğimizi evde de sürdürebilir miydik? Hayır, buna izin vermedi Piraye. Ama bazı akşam yemeklerinde onlarla beraber olabiliyordum. Geç kaldığım geceler, yatmak için konağa değil, muayenehaneye gidiyordum. Bu durum konaktakilerin, özellikle de annemin hiç hoşuna gitmiyordu. Sanırım Piraye de sırf bunun için, beni birkaç saatliğine de olsa yanında tutarak içten içe meydan okuyordu bizimkilere.

Bense, bulutların üzerinde geziyor gibiydim. Piraye'ye ve Dicle'ye yeniden yakınlaşabilmek, artık asla gerçekleşmeyeceğini düşündüğüm bir düştü benim için ve nedeni her ne olursa olsun, kim ne söylerse söylesin, umurumda bile değildi.

İçimde yeşermeye başlayan, her geçen gün biraz daha palazlanarak sınırlarını zorlayan umutlarım, İstanbul'dan gelen bir telefonla yerle bir oluverdi. Piraye'nin babası ölmüştü! Ertesi gün, sabah uçağıyla gidecekti Piraye.

"Yerinizi ayırtayım," dedim, bir şeyler yapmış olmak için. Kayınpederimin cenazesinde bulunmak bile haramdı çünkü bana. Gitmeye kalksam, nasıl bakardım oradakilerin yüzüne?

"Bilmen gereken bir şey var," dedi Piraye. "Bu bizim İstanbul'a kesin dönüşümüz olacak!"

Kolumdan tutup içeriye götürdü beni. Yarı hazır, doldurulmayı bekleyen bavulları gösterdi. "Zaten gidecektim," dedi. "Bu haber gidişimizi çabuklaştırdı, o kadar."

"Ama... son günlerde yaşadıklarımız. Paylaştığımız o tatil..." diyecek oldum.

Buruk bir gülüşle baktı yüzüme.

"Nikâhlı karın değil miydim?" dedi.

Son ana kadar yanlarında kaldım. Elim kolum bağlı, yol hazırlıklarını izledim sessizce. Oradan oraya telaşla koşturmasını Piraye'nin, kitap kolilerini arkalarından gönderebilir miyim diye soruşunu... Bavulları kapatmasını, son kez odalara girip çıkmasını, eşyalara son kez göz gezdirmesini...

Bitmişti işi, evin anahtarlarını uzattı bana. "Bundan sonrası sana ait," dedi. "Bu ev ve içindekiler benim için işlevini tamamladı."

Gittiler!

Piraye, yaşamımın biricik aşkı! Ve Dicle'm, canım kızım...

Varlığımın içinde erimiş, benimle bütünleşmiş bu iki sevgili insanın yokluğunda nasıl yaşayacaktım ben?

Yalnız... ıssız... tek başıma!

Soluk alabilecek miydim onlarsız?

Gitmelerinin üzerinden beş ay geçmişti. Kavruluyordum hasretlerinden. Telefon konuşmaları içimdeki sızıyı dindirmekten uzaktı. Telefonlarıma çıkmıyordu zaten Piraye. Benimle konuşmak, merakımı giderecek sorularımı yanıtlamak, en sonunda da eğer yanındaysa, ahizeyi Dicle'ye uzatıp kızımla hasret gidermemizi sağlamak Şehriban'ın işiydi.

Anaokuluna başlamıştı Dicle. Piraye çalışıyordu. Babasının muayenehanesini elden geçirmiş, yıllardır atıl duran diplomasını duvara asmıştı. Annesiyle ablasına yakın bir ev tutmuştu, beraber oturmayı istememişti. Kendisi, Dicle ve Şehriban, üç kişilik bir aile değiller miydi zaten?

Böyle olmayacaktı. Telefonun ucundan bana yansıyan cılız mum ışığıyla yetinip oturamazdım. İstanbul'a gidecek, Piraye'yle konuşacaktım. Dinlemek zorundaydı beni. Söyleyecek sözüm bitmemişti henüz...

Yağmurlu, kasvetli bir akşamüstüydü. Muayenehanenin kapısını çalıp bekledim. Şehriban karşıladı beni. Boynuma sarıldı, "Hoş gelmişsin ağam," dedi. Sonra da, "Piraye abla," diye seslendi muayene odasının kapısından. "Bir konuğumuz var... Haşim Ağam!"

Masanın başında oturmuş gazete okuyordu Piraye. İyi görünüyordu. Daha da mı güzelleşmişti ne! Aylardan sonra, ummadığı bir anda beni karşısında görmenin şaşkınlığıyla, "Hoş geldin," dedi. Yerinden kalkmadan yalnızca elini uzattı. Tokalaştık.

"Hayırlı olsun muayenehanen," dedim, teşekkür etti. Şehriban'a seslenip bize çay getirmesini söyledi.

"Yapma Piraye," dedim. "Yabancı gibi davranma bana... Siz olmadan olmuyor, yapamıyorum. Yaşamak tüm anlamını yitirdi benim için. Tükendim artık... İnan ki, ölmeyi yaşamaktan çok istiyorum."

"Senin için ne yapabilirim?" dedi kayıtsızca.

"Çok şey! Eğer istersen..."

Konaktan koptuğumu, gecelerimin çoğunu muayenehanede geçirdiğimi, asla bağdaşamayacağım bir kadınla varlığıyla yokluğu arasında bir fark olmayan o zavallı çocuk için üstüme düşeni fazlasıyla yaptığımı, ama artık dayanacak gücümün kalmadığını anlattım.

"Kabul edersen İstanbul'a gelebilirim," dedim.

"Biraz geç olmadı mı?" diye güldü.

Haklıydı. Ama o, ben ve kızımız yepyeni bir başlangıç yapabilirdik... Hayır, yanıtı kesindi Piraye'nin, yeni sarsıntıları kaldıracak gücü kalmamıştı.

"Dicle nerede?" diye sordum. "Çok özledim onu..."

"Anaokulunda," dedi. "Gidip görebilirsin."

"Son çektiğim fotoğraflarını göstereyim sana," diyerek ayağa kalktı. İşte o anda...

"Piraye!" diye haykırdım. "Hamilesin sen!"

Hafifçe karnını okşayarak, "Evet," dedi. "Tam altı aylık. Cinsiyeti de belli. Erkek!"

"Harika bir müjde bu!" diye yerimden fırlayıp kucaklamaya davrandım.

"Uzak dur benden!" diye geri çekildi. "Senin değil o çocuk!"

"Benden değil mi yoksa?" diye bağırdım.

"Bunu da söyleyebildin ha!" diye öfkeyle baktı yüzüme. "Onu asla hak etmiyorsun, ama karnımdaki ne yazık ki senin çocuğun."

"Bağışla beni Piraye," diye ellerine yapıştım. "Şaşkınlıktan ne söylediğimi bilmiyorum."

"Dediğim gibi Haşim, bu çocuk yalnızca benim! Soyadından başka bir şey veremeyeceksin ona."

İyi de, nasıl olmuştu bu iş? Piraye'yi muayene eden, mesleğinde yetkin kaç doktor, "Çocuğun olmaz!" demişken...

Bir yıl kadar önce, İstanbul'a gidiş gelişlerinden birinde, ablası kendi doktoruna götürmüş Piraye'yi. Daha önce yapılan bütün tetkiklere ek olarak, bir de ilaçlı film çekmişler. Acılı, ağrılı bir işlemmiş. Masanın üzerinde kasılıp kalmış Piraye, acının şiddetiyle yaşlar boşanmış gözlerinden. Ağrı şokuna girecekmiş neredeyse. İlacın yayılması tamamlanınca röntgen filmi çekilmiş.

Bir saat sonra sonucu almaya gittiklerinde akıllarının ucundan geçmeyecek, olağanüstü bir sürpriz bekliyormuş onları. "Harika bir sonuç!" demiş doktor. "Kanallar tam olarak kaynamamış, yalnızca yapışıklık varmış. O da ilacın geçişiyle açılıverdi. Bu yüzden acınız alışılagelenden çok oldu. Şu anda yumurtalık kanallarınız açık ve pırıl pırıl."

"Yani?"

"Hamile kalmamanız için hiçbir neden yok!"

"Lamia Hanım'a söyle," dedi Piraye. "Kızı veren Allah oğlanı da verir derdi. Haklıymış. Ama *kız kısırı* olan birinin bir daha asla doğuramayacağını söylerken yanılıyordu. İşte kanıtı! Anlatırsın ona..."

Yıllardır içinde biriktirdiklerini dışarı vurmanın çekimine kapılmış, benim suskun duruşumla daha da kamçılanarak acımasızca hırpalıyordu beni.

"Sen de kendine yeni bir yol çiz artık," dedi. "İkinci karın boy boy çocuklar verebilir sana. Benim gibi kız kısırları bile doğururken..."

Ve o kesin karar...

"Oğlum doğar doğmaz boşanacağım senden!"

"Yapma Piraye! Bir kez daha düşün. Senin, Dicle'nin, benim ve doğacak çocuğumuzun geleceği senin ellerinde."

"Hepsini düşündüm ben. Seninle asla bir araya gelemeyiz artık."

Kısa bir duraksamanın ardından, gücünü yitirmiş, titreyen bir sesle direnişinin gerekçesini açıkladı.

"Bir başka kadına dokunan parmakların, benim tenime bir daha asla değemez Haşim! Dayanamam buna, izin veremem... Anlamaya çalış."

Anlamıştım. Benim tanıdığım Piraye, asla bir başka kadınla paylaşamazdı erkeğini. Bedeli çok ağır olsa da...

Umutlarla beraber sözün de bittiği yerdeydik.

"Son bir şey isteyebilir miyim senden?" dedim. "Oğluma benim adımı koyabilir misin? Onun, Haşim Artukoğlu olmasına izin verir misin?"

"Hayır," dedi kesin bir ifadeyle. "Sen demez miydin, çocuğun adını koymak, onu dokuz ay karnında taşıyan anasının hakkıdır diye? Ona, senin değil babamın adını vereceğim."

"Nasıl istersen öyle olsun," diye gülümsedim. Dudağımın kıyısında dondu kaldı gülüşüm.

Elini uzattı, son kez tokalaştık. Omuzlarım geldiğimden de çökük, başım önümde, sokağın telaşlı kalabalığının arasına attım kendimi...

* * *

İki gün sonraki gazeteyi açtığında, şaşkınlıktan dudağı uçuklayacaktı neredeyse Recep'in. Fasıl gecesi beraberce şar-

kılar söyledikleri o yakışıklı, asil duruşlu ve hüzünlü adam değil miydi bu? Evet evet, oydu! Haşim Artukoğlu.

BÜYÜK HESAPLAŞMA! diye başlıyordu haber.

Köyde... Hasmının üzerine gitmiş. Dur demişler, durmamış... Dur demişler, durmamış... Bile bile gitmiş üstlerine.

Vurmuşlar! Dört bir yandan ateş yağdırmışlar üstüne. Silahı yokmuş Haşim Ağa'nın.

İntihar eder gibi... Bile bile yürümüş ölüme!

Dört bir yandan kurşun yağıyor üzerime...
Kan revan içindeyim.
Kendimden geçmek üzereyken bir şey takılıyor aklıma.
Piraye... Oğlumuzun adını Haşim koyar mı?
Haşim Artukoğlu diye çağırır mı onu?

O şarkının sözleri dolanıyor sonra dilime...

Ömrüm seni sevmekle nihayet bulacaktır
Son darbe-i kalbim yine ismin olacaktır

Hoşça kal Piraye... Hoşça kal.

GECENİN SONU

Sona doğru yaklaşırken, hüzünler bir kenara atılıp coşkuya ve neşeye açılıyor kapılar. Makamdan makama, şarkıdan şarkıya atlayarak, faslın gülen yüzüyle kucaklaşıyor ıssız erkekler korosu. Bir ağızdan söylenip tempo tutulan nağmelerin gerisinde pusuya yatmış bekleyen hüzün dehlizlerine yeniden dalmanın kaçınılmaz olduğunu bilseler de...

Kara bulutları kaldır aradan
Beri gel gönlüme çağlayanım gel
Ne kadar özenmiş seni yaradan
Beri gel gönlüme çağlayanım gel

Dilinden anlayan bülbül az olur
Gönülden çağlayan aşkın saz olur
Sen gelmezsen bahar geçer yaz olur
Beri gel gönlüme çağlayanım gel

...derken, bir başka Sadettin Kaynak şarkısında, hepsinin sevgilisi ela gözlüymüş gibi, Âşık Ömer'in sözleriyle, aynı nağmelerin heyecanını paylaşabiliyorlar.

Ela gözlerine kurban olduğum
Yüzüne bakmaya doyamadım ben
İbret için gelmiş derler cihana
Noktadır benlerini sayamadım ben
Aşkın ateşidir sinemi yakan
Lütfuna erer mi cevrini çeken
Kollarım boynuna dolanmış iken
Seni öpmelere kıyamadım ben

Hüzzam bir türküye geçiyorlar ardından.

İndim havuz başına
Bir kız çıktı karşıma
Sevda nedir bilmezdim
O getirdi başıma

Gelemem ben gidemem ben
Her güzele gönül veremem ben
Aç kolların sar boynuma
Üşüdüm üşüdüm saramam ben

Garip bir içgüdüyle, orada bulunan tüm erkeklerin iliklerine kadar üşüdüğünü düşünüyor Recep. İlginç olan, kendisinin de en az onlar kadar üşüdüğü...

Ve gecenin sonu! Âdemoğlu Pansiyon'un o geceki konukları, birer ikişer salonu terk ediyor. Önce Emre'yle Murat'ı uğurluyor Recep. Pansiyonda kalmayacak onlar. Emre karşı tarafa geçecek. Murat'sa Bursa'ya dönmekle geceyi Emre'de geçirmek arasında kararsız.

Diğerleri Recep'in bir ya da birkaç gecelik konukları... Vedat, Nizam, Yusuf, Raşit, Haşim, Ankara grubu. Ve tabii Vecihi Bey!

Hepsini odalarına yerleştirip, fasıl heyetindeki sazendeleri de uğurladıktan sonra salona geri dönüyor Recep. Vecihi Bey'le baş başa kalıp gecenin değerlendirmesini yapacaklarını düşünürken...

"Senin şarkın hangisi?" diye soruveriyor Vecihi.

Şaşırıyor Recep, suçüstü yakalanmış gibi gözlerini kaçırmaya çalışıyor. Yüzünde gezinen ısrarlı bakışları yatıştırmanın tek yolu var.

Kırık bir sesle mırıldanmaya başlıyor...

Dokunma kalbime zira çok incedir kırılır
O tıpkı mabede benzer ki orda hıçkırılır
Gülersen aşkıma gönlüm harap olur yıkılır
O tıpkı mabede benzer ki orda hıçkırılır

Recep'in anlatmak istediği ortada. Kalbine dokunulsun istemiyor! Ama Vecihi bu! Karşısındaki muammayı çözmeden, geceyi noktalamaya hiç niyeti yok. Bile bile üstüne gidiyor Recep'in.

"Herkes, içinde kendini bulduğu bir şarkının seslendirilmesini isterken, senden hiçbir talep gelmedi. Hazır baş başa kalmışken... Ne istiyorsan beraberce çalıp söyleyelim."

Şarkının adını söylemiyor Recep. Issız erkekler korosunun o geceki seslerinden biriymiş gibi, istek kâğıdın üzerine yazıyor şarkısını...

Udunun tellerini bu kez de Recep için titretiyor Vecihi.

Seni herkesten kıskanıyorum
Kalbimi yaktın ah yanıyorum
Yüz bin âşıkın var sanıyorum
Kalbimi yaktın ah yanıyorum

"İkinci bir şarkı daha istiyorum," diyor Recep. "Bunun arkasından söylenmezse, ikisi de yarım kalır..."

NEREDEN SEVDİM O ZALİM KADINI

Beni öyle yalana inandır ki,
Ömrümce sürsün doğruluğu...

ÖZDEMİR ASAF

Recep

Nereden sevdim o zalim kadını
Bana zehretti hayatın tadını
Söylemem sormayın asla adını
Bana zehretti hayatın tadını

Seni herkesten kıskanıyorum'la, *nereden sevdim o zalim kadını* arasında sıkışıp kalmış Recep'in hikâyesi...

Kimi ne zaman herkesten kıskandığını tam olarak hatırlayamıyor. Daha pek çok şeyi hatırlayamadığı gibi.

Hep aynı kareler canlanıyor gözünde. Güzel, çok güzel bir kadın var o karelerde. Dalgalı kumral saçları köpük köpük dökülüyor omuzlarından aşağı. Yüzünde baştan çıkarıcı bir ifade.

Kışkırtıcı bakışlar... Bir gülümseyişiyle deliye döndürüyor görenleri.

Çok küçük henüz Recep. Okula bile gitmiyor daha. Tutkuyla bağlı Nurşen'e. Nurşen! Recep'in teyzesi. Ailenin ele avuca sığmaz küçük kızı.

Anneannesi var gerilerde. Annesi... Bir sahil kasabasında pansiyon işletiyor anneanne. Pansiyonun sahipleri kadın ama, erkek müşteri çoğunlukta. Yolu düşüp konaklayanların yanında, sırf Nurşen'i görmek için gelenler de var.

Çok sinirli anneanne, bir şeylere kızıyor hep. En çok da Nurşen'e! Bağırıp çağırıyor durmadan. Aldırmıyor Nurşen. Recep'in elinden tuttuğu gibi sahilde alıyorlar soluğu. Yüzmeyi, kumdan kaleler yapmayı, ağız dolusu gülüp eğlenmeyi teyzesinden öğreniyor Recep. Çok seviyor onu. Teyzesine kızdı diye düşman kesiliyor anneannesine, hatta annesine bile...

Sahile indiklerinde arkadaşlarıyla buluşuyor Nurşen. Çoğu erkek, arkadaşlarının. Recep kumda oynarken teyzesi o ağabeylerle sarmaş dolaş, saatlerce ortadan kaybolabiliyor. Sabırla bekliyor Recep, yaptığı kumdan kalelerin üstüne yenilerini ekliyor, kumdan şehirler yapıyor. O gün yaşadıklarından evdekilere tek söz etmiyor.

"Sırdaşımsın sen benim!" diyor teyzesi. Seviniyor Recep. Ayrıcalığının farkında.

Recep'e gazoz alıyor Nurşen'in yanındaki yakışıklı ağabeyler. Çikolata, şekerleme... Gazozunu içip çikolatasını yiyor, uslu uslu teyzesini bekliyor Recep. İçin için kıskanıyor Nurşen'i aslında, başkalarıyla değil, hep kendisiyle ilgilensin istiyor. Ama teyzesi gelip birbirlerine sımsıkı sarıldıklarında aklından geçen tüm olumsuzlukları unutuveriyor.

Okula başladığı yıl, kısacık hayatının en büyük depremiyle sarsılıyor Recep. Kimse ona bir şey anlatmıyor, adam yerine koyup olanı biteni paylaşmıyor ama, ortadan konuşulanlar yetiyor Recep'e.

Nurşen, ipsiz sapsız bir oğlanla kaçmış!

İpsiz sapsız ne demek, onu bile bilmiyor Recep. Annesiyle anneannesinin konuşmalarından, kötü bir şey olduğu sonucunu çıkarıyor. İlk defa kızıyor teyzesine. Aldatılmış gibi hissediyor kendini.

Aldığı ilk darbe bu. Teyzesi, biricik sırdaşına veda bile etmeden çekip gitmiş... İnanamıyor, kabullenemiyor. Küçücük dünyası isyanlarla sarsılıyor.

O günlerde, çocuk aklıyla bir *erkekler pansiyonu* düşlüyor. Güzel yüzleriyle, çekicilikleriyle, cilveleriyle erkeklerin kanına giren kadın cinsinin olmadığı bir erkekler pansiyonu...

Yıllar geçiyor aradan... Anneannesi yok artık. Recep çok küçükken kocasından ayrılan annesi ise bir başkasıyla evlenmiş. Sahildeki pansiyonun işletmesi, Recep'in omuzlarında.

Kadınla kızla, gönül işleriyle ilgisi yok Recep'in. Gözü birilerine takılacak olsa, teyzesi dikiliveriyor karşısına. Onun aldatıcı sıcaklığı, kışkırtıcı bakışı, gülüşü...

Gelenle gidenle, konuklarıyla ilgileniyor Recep. Kimselere açmıyor yüreğini. Ta ki Suzan'la karşılaşıncaya kadar...

Grup halinde geliyorlar pansiyona. O yörede çekilecek bir dizi için. Kadınlı erkekli kalabalığın içinde, Suzan'a takılıp kalıyor Recep. Adı gibi, değil dokunanı, rastlantıyla gözü değeni bile yakacak çekicilikte bir kadın Suzan. Sesi de güzel, akşam yemeklerinde gruptakilerin ısrarlarını kırmayarak bir iki şarkı patlatıyor. Dizide de şarkıcı bir kadını oynuyor zaten. Başrol falan değil, küçük bir rol.

Çevresi hep dolu Suzan'ın, dört bir yanı erkeklerle sarılı. Hangisi sevgilisi, hangisi âşığı, hangisi rol arkadaşı, kestiremiyor Recep. Hepsini ortadan kaldırıp Suzan'ın biricik dostu olmak için delice bir istek duyuyor içinde.

Dost mu? Yok canım! İlk gördüğü günden beri âşığı olmadı mı Suzan'ın? Bayılıyor ona, deli oluyor. Her geçen gün daha da bağlanıyor. Çok seviyor onu. Öl dese seve seve ölmeye hazır. Ama, Suzan'ın yanına yaklaşmak bile yürek istiyor. Ötesini düşünmek, olmayacak hayaller kurmak, haddi değil Recep'in.

Dizinin oradaki çekimleri bitmek üzere. Film ekibi İstanbul'a dönmeye hazırlanıyor. Recep'se kara yaslarda. Suzan'ın varlığında cenneti yaşamış. Yalnızca dışardan baktığı, yalancı bir cennet olsa da... Ne yapacak yokluğunda? Nasıl avutacak sevdalara kapalı tuttuğu, kapılarını bir tek Suzan'ın aralayabildiği yaralı yüreğini? Sesine, gülüşüne, başkalarına cömertçe sunarken ara sıra Recep'e de pay ayırdığı çapkın bakışlarına öylesine alışmış ki...

Pansiyonda bir veda gecesi düzenliyor Recep. Yoğun çalışma temposunun ardından, ödül gibi geliyor film ekibi çalışanlarına. Yiyorlar, içiyorlar, biraz da dağıtıyorlar. Şarkılar söylüyorlar bir ağızdan, zeybekler, horonlar, Roman havaları...

Garip bir tutukluk var Suzan'da. Diğerleri gibi coşup eğlenemiyor. Dizideki rolüne son verilmiş! Disiplinsizlik gerekçesiyle. İçkiye düşkünlüğü, gün ortasında sete içkili gelmesi, gece âlemlerinin ertesi güne yansımasıyla rolüne kendini verememesi... Nedeni, niçini önemli değil Recep için. Suzan'ı üzüp kahreden bu beklenmedik gelişme, yepyeni umutlar yeşertiyor yüreğinde.

Bütün cesaretini toplayıp, "Madem diziden ayrıldınız, neden birkaç gün daha kalmıyorsunuz burada?" diyor. "Moral tatili olur sizin için."

İşine son verilmiş oyuncu kimliğiyle ekiple beraber İstanbul'a döneceğine, pansiyonda kalmak cazip geliyor Suzan'a. Recep'in teklifini kabul ediyor.

Kraliçeler gibi ağırlıyor onu Recep. Bir dediğini iki etmiyor. Çiçeklerle donatıyor odasını. Sofralar kuruyor, sevdiği mezeleri kendi elleriyle hazırlıyor. İyiye, güzele, neşeye, keyfe kadeh kaldırıyorlar geceler boyu.

El üstünde tutulmayı, şımartılmayı hak görüyor kendisinde Suzan. Olura olmaza huysuzlanıyor, kaprisleriyle sabrını sınıyor sanki Recep'in. Ama o hepsine razı. Baştan kabullenmiş, huysuz ve tatlı bir kadın Suzan! Şarkılarla dile getiriyor içindekileri.

Şarkılar seni söyler dillerde nağme adın
Aşk gibi, sevda gibi huysuz ve tatlı kadın
En güzel günlerini demek bensiz yaşadın
Aşk gibi, sevda gibi huysuz ve tatlı kadın

En güzel günlerini demek bensiz yaşadın dizesinde takılıp kalıyor Recep. Suzan'ı tanıdığı günü milat olarak kabul etse de, geçmişte başkalarıyla yaşanan güzel günlerin gölgesi içini kavuruyor.

Deli gibi kıskanıyor onu. Ama Suzan da onun sahiplenme kokan kıskançlığını körüklemek için elinden geleni yapıyor.

Güzelliğinin, çekiciliğinin başkalarınca onaylanmasıyla taçlandırılmasına muhtaçmış gibi, üzerinde toplanan hayranlık dolu bakışların hiçbirini geri çevirmiyor. İçki masasında, çalınan şarkıya eşlik ederken sesini yükselterek, oraya buraya dağılmış tüm dikkatleri mıknatıs gibi üstüne çekmeyi başarıyor.

Oysa Recep, yalnız kendisi için şarkı söylemesini istiyor Suzan'ın. İşvesini, cilvesini, nazını yalnız sunsun istiyor. Dudaklarına dolanan o şarkıyı bire bir yaşıyor gibi, *"Seni herkesten kıskanıyorum,"* diye mırıldanıyor her anında. Şarkının içindeki, *yüz bin âşıkın var sanıyorum* dizesi ise kalbinde yara Recep'in. Gerçekten de, herkesin Suzan'a âşık olabileceğini, bugüne kadar âşık olanların sayısının çok yüksek olduğunu düşünerek eziyet ediyor kendine.

"Kalbimi yaktın ah yanıyorum," derken, gülüveriyor her seferinde. Adının anlamı *yakıcı* olan Suzan'dan başka ne bekleyebilir ki...

Suzan bir haftadır pansiyonun en özel konuğu.

"Misafirliğim buraya kadar," diyor. "Başına ekşidim kaldım. Yaz sezonu, müşterin çok. Bir oda, bir odadır. Daha fazla yük olmak istemem sana."

Korkuyla irkiliyor Recep. Ya çekip giderse! Onun varlığına bu kadar alışmışken... Ne yapar Recep?

Devam ediyor Suzan.

"Senin odanda bana ayıracak küçücük bir yerin vardır sanırım."

Kulaklarına inanamıyor Recep. Duydukları gerçek mi?

"Olmaz olur mu?" diyor sevinçle. "Başımın tacısın sen. Yüreğimdeki yerinin yanında, odamdaki yerin lafı mı olur?"

Gölgeli bir sevinç aslında Recep'inki. Böylesi bir daveti kadının değil, erkeğin yapması gerekmez mi? Suzan'ın atak davranmasının, onun girişken yapısından kaynaklandığını düşünerek avutmaya çalışıyor kendini. Bir yandan da, Suzan'ın pansiyonda kalarak yüklendiği borcu bu yolla ödemeye kalkmış olabileceği geçiyor aklından. Hayır, bu kadar basite indirgenmemeli aralarındaki ilişki. Recep kadar âşık olmasa da, Suzan da ondan hoşlanıyor olmalı ki, böyle bir teklifi gündeme getirebiliyor.

Kafasındaki tüm olumsuzlukları silip, özel konuklar için kapalı tuttuğu, pansiyonun en geniş odasını hazırlatıyor Recep. Suzan'la paylaşacakları gerçek bir aşk yuvası olacak orası...

Suzan'a her gün yeniden âşık oluyor Recep. Her an gözünün önünde olduğu halde, delicesine özlüyor onu. Suzan... Yakıcı, ateşten bir top gibi yakıp kavuruyor Recep'i.

İçindeki sahiplenme güdüsü daha da güçleniyor Recep'in. Suzan onun kadını artık! Ama hiç rahat değil Recep. Âşık olduğu, tapındığı kadının şu an kendisine tanıdığı ayrıcalığı bir zamanlar kimlerin önüne serdiğini düşünmekten yorgun düşüyor.

Gelecek ise tam bir muamma. Hiçbir garantisi yok Recep'in. İşin açığı, güvenemiyor Suzan'a. Aklına estiğinde terk edivermesi an meselesi. Ve Recep, Suzan'ın aynı yakıcılıkla, başka kollarda, başka bedenlerde yeniden can bulacağından emin.

Ancak, umulmadık bir müjde kafasında birikmiş tortuları yok etmeye yetiyor. Suzan hamile! Sevinçten havalara uçuyor Recep. Sımsıkı sarılıyor Suzan'a. "Hemen evlenelim!" diyor. "Önce nikâh kıyarız, sonra da..."

Recep'in çılgın bir hevesle dile getirdiği geleceğe dönük tasarılarını sessizce dinliyor Suzan. Ondaki donukluğun, tepkisizliğin farkında değil Recep. "İstanbul'a gideriz," diye planlar yapıyor içinden. "Buralarda yapamaz Suzan. Oraya taşırız pansiyonu."

Yazın son günleri... O sabah her günden erken kalkıyor Suzan. "Kasabaya ineceğim," diyor. "Havalar iyice soğumadan bir şeyler alayım üstüme." Beraber gidelim diyor Recep, istemiyor Suzan. Alışverişini yapıp erkenden dönecek...

Gün boyu, İstanbul'da açacağı *Âdemoğlu Pansiyon*'un hayallerini kuruyor Recep. İyi de, Suzan ne yapacak orada? Ne yapacağı var mı! Çocuğunu doğurup evine çekilecek elbette. Zor gelir bu hareketli hayatın ardından ama, hele bir anne olsun, sorumluluklarını idrak edecek haliyle...

Akşam yemeği için pansiyonun terasında masa hazırlatıyor Recep. Bebeğin gelişini kutlayacaklar. Hayır, içki yok bu akşam! Hamile kadın içki içer mi hiç? Recep de içmeyecek. Kafaları ayıkken de şarkılar söyleyecekler birbirlerine. Diğer gecelerden de keyifli olacak bu gece...

Recep'in beklediğinden çok daha geç dönüyor Suzan. Yorulmuş galiba. Yüzü solgun, sapsarı, mum gibi. Doğruca odaya çıkıyor.

"Biraz dinleneyim," diyor. "Yemeğe kadar toparlanırım."

Böyle olmaz, kendini yormamalı Suzan! Yasaklar koymalı ona Recep...

Yemek için terasa çıktıklarında, biraz daha iyi görünüyor Suzan. Özenle hazırlanmış, çiçeklerle süslenmiş masayı görmemiş gibi ilk işi, "İçki yok mu?" diye sormak oluyor.

"Bundan sonra böyle," diyerek gülüyor Recep. "Bebek doğana kadar..."

Alaycı bir gülüşle aralanıyor Suzan'ın dudakları.

"Bebeği aldırdım ben!"

"Ne!" diye haykırıyor Recep. "Ne dedin sen?"

"Bebeği aldırdım! Çoluk çocukla uğraşacak halim mi var benim?"

İçinde iyiye ve güzele dair ne varsa bir anda yitirivermiş bir insanın isyanı... Delice bir öfke, delice bir güç... Bir şeyleri yakıp yıkmak, yok etmek için duyulan karşı konulmaz bir arzu...

Ama hiçbir şey yapmıyor Recep. Rakı şişesini çıkarıp kadehleri dolduruyor. Hiç konuşmuyorlar. Birbirini takip ediyor kadehler. Ne zamandır bu kadar içmemiş Recep... Başı dönüyor, bakışları bulanıyor.

"Nasıl yapabildin Suzan!" diyor dişlerinin arasından.

Yerinden kalkıp terasın ucuna doğru yürüyor Suzan. Gözlerini uzaklara, denizin gökyüzüyle buluştuğu buğulu çizgiye dikiyor.

"Yetti ama," diyor. "Suzan, Suzan... Suzan falan değilim ben! Asıl adım Remziye."

"Rem-zi-ye!" diye heceliyor Recep. Tabii ya... Filmlerde, dizilerde oynayacak birinin adı Remziye olur mu hiç? Suzan olacak ki yaksın, kavursun ortalığı.

Suzan'ın yanına doğru yürürken ayakları dolaşıyor Recep'in.

"Suzan ya da Remziye..." diyor peltek peltek. "Nasıl kıydın o çocuğa? Hiç mi acımadın?"

"Yeter be!" diye bağırıyor Suzan. "Bu kadar üzülmene gerek yok. Çocuk senden değildi zaten!"

Terasın duvarına yaslanmış kendisine meydan okuyan kadına hayretle bakıyor Recep.

Bunları söyleyen kim?

Suzan... Yakıcı, yıkıcı, çirkin bir ateş topu!

Korunma güdüsüyle bir adım geri çekiliyor. Elinin tersiyle uzaklaştırmak istiyor kendisinden.

Gerisini hatırlamıyor...

Hayır, ben itmedim!

Şöyle bir dokundum... Sendeledi.

Düştü galiba... Hatırlamıyorum.

Ama eminim, hiçbir şey yapmadım ben ona. Kendisi düştü.

Sahi kimdi o?

O düşen...

* * *

Psikiyatri kliniğinin, hiç ziyaretçisi olmayan nadir hastalarından biri Recep. Neden buraya getirildiğini bilmiyor. Ne kadar süredir burada olduğunu da. Bir hafta, bir ay, bir yıl... Belki de daha fazla.

Hiçbir şey hatırlamıyor eskiye dair. Kafasına bölük pörçük takılanlar dışında... Bir pansiyon geliyor gözlerinin önüne. Sahilde... Kendi çocuk hali. Yanında güzel bir kadın. "Sırdaşım," diyor ona. Kayboluveriyor...

Sonra ona benzer bir başka kadın! Adı yok...

Gözlerini sımsıkı kapatıyor Recep. Karşısında beliren kapının üstündeki yazıyı okumaya çalışıyor: Âdemoğlu Pansiyon. Müzik sesi geliyor içeriden. Tanıdık yüzler var... Bir anda siliniveriyor hepsi. Yeniden canlanıyorlar sonra. İsimler... Yusuf, Murat, Haşim... Kim onlar?

Tanır gibi oluyor ama, çıkaramıyor bir türlü. Gazete haberlerinden aklında kalanlar olabilir mi? Murat'la Haşim hiç yabancı gelmiyor. Bir kitapta mı okumuştu ne?

Gerçekten var mıydı öyle bir pansiyon, hatırlayamıyor Recep. Bir fasıl gecesi canlanıyor karşısında... Öyle bir gece gerçekte yaşanmış mıydı, o kişiler gerçek hayatın içinde miydiler, yoksa bunların hepsi, hayal gücünün bir oyunu muydu, bilemiyor Recep.

O şarkının sözlerinin dudaklarında yer etmesinin nedenini bilemediği gibi...

Nereden sevdim o zalim kadını
Bana zehretti hayatın tadını
Söylemem sormayın asla adını
Bana zehretti hayatın tadını

ŞARKILAR

* **Nideyim sahn-ı çemen seyrini cânânım yok**
Maka193
lacak diye kaç yıl avuttu felek
Makam: Hicaz / Beste: Avni Anıl / Güfte: Turgut Yarkent

* **Tadı yok sensiz geçen ne baharın ne yazın**
Makam: Hicaz / Beste: Muzaffer İlkar / Güfte: Güzide Taranoğlu

* **Söyleyemem derdimi kimseye derman olmasın diye**
Makam: Hicaz / Beste ve Güfte: Şükrü Tunar

* **Beni kör kuyularda merdivensiz bıraktın**
Makam: Kürdilihicazkâr / Beste: Münir Nurettin Selçuk /
Güfte: Ümit Yaşar Oğuzcan

* **Avuçlarımda hâlâ sıcaklığın var inan**
Makam: Kürdilihicazkâr / Beste ve Güfte: Yusuf Nalkesen

* **Aşkı seninle tattı, hicranla yandı gönül**
Makam: Hicaz / Beste: Fehmi Tokay / Güfte: Melahat Akan

* **Artık bu solan bahçede bülbüllere yer yok**
Makam: Hicaz / Beste: Alaaddin Yavaşça / Güfte: Faruk
Nafiz Çamlıbel

* **Bir tatlı tebessümün bin vuslata bedeldir**
Makam: Uşşak / Beste ve Güfte: Zeki Müren

* **Yine o menekşe gözler aralı**
Makam: Dügâh / Beste: Kadri Şençalar / Güfte: Vecdi Bingöl

* **Bana nasıl vazgeç dersin**
Makam: Rast / Beste: Alaaddin Yavaşça / Güfte: Fikri
Akurgal

* **Ben gamlı hazan, sense bahar, dinle de vazgeç**
Makam: Hicaz / Beste: Melahat Pars / Güfte: Sıtkı Argınbaş

* **Ayrılık yarı ölmekmiş**
Makam: Nişâburek / Beste: Selahattin Pınar / Güfte: Vecdi
Bingöl

* **Şimdi uzaklardasın**
Makam: Suzinak / Beste ve Güfte: Zeki Müren

* **Dönülmez akşamın ufkundayız**
Makam: Segâh / Beste: Münir Nurettin Selçuk / Güfte:
Yahya Kemal Beyatlı

* **Yok başka yerin lûtfu ne yazdan ne de kıştan (Kalamış)**
Makam: Nihavent / Beste: Münir Nurettin Selçuk / Güfte:
Behçet Kemal Çağlar

* **Unutturamaz seni hiçbir şey unutulsam da ben**
Makam: Nihavent / Beste ve Güfte: Ekrem Güyer

* **Sevmekten kim usanır**
Makam: Rast / Beste: Teoman Alpay / Güfte: Hikmet Münir Ebcioğlu

* **Bu gece son gecemiz (At kadehi elinden)**
Makam: Hüzzam / Beste: Teoman Alpay / Güfte: Hasan Özcan Balım

* **Bu ne sevgi ah bu ne ıstırap**
Makam: Hüzzam / Beste: Abdullah Yüce / Güfte: Hasan Bayrı

* **Akasyalar açarken**
Makam: Hüzzam / Beste ve Güfte: Yesari Asım Arsoy

* **Eller kadir kıymet bilmiyor anne**
Beste: Mehmet Dağdelen / Güfte: Halit Çelikoğlu

* **Gönül aşkınla gözyaşı dökmekten usandı artık**
Makam: Rast / Beste: Selahattin İnal / Güfte: Ali Sarcan

* **Pişman olur da bir gün dönersen bana geri**
Makam: Hüzzam / Beste: İrfan Özbakır / Güfte: Ayhan İlter

* **Benzemez kimse sana**
Makam: Bayati / Beste: Fehmi Tokat / Güfte: Rüştü Şardağ

* **Sen olmasaydın eğer aşka inanmazdım**
Makam: Hüzzam / Beste ve Güfte: Yesari Asım Arsoy

* **Ömrüm seni sevmekle nihayet bulacaktır**
  Makam: Hüzzam / Beste: Yesari Asım Arsoy / Güfte: Fitnat Sağlık (Fitnat Hanım)

* **Kara bulutları kaldır aradan**
  Makam: Karcığar / Beste: Sadettin Kaynak / Güfte: Ramazan Gökalp Arkın

* **Ela gözlerine kurban olduğum**
  Makam: Hicaz / Beste: Sadettin Kaynak / Güfte: Âşık Ömer

* **İndim havuz başına**
  Makam: Hüzzam / Anonim / Derleyen: Ahmet Yamacı

* **Dokunma kalbime zira çok incedir kırılır**
  Makam: Suzinak / Beste ve Güfte: Gavsi Baykara

* **Seni herkesten kıskanıyorum**
  Makam: Saba / Beste ve Güfte: Yesari Asım Arsoy

* **Nereden sevdim o zalim kadını**
  Makam: Kürdilihicazkâr / Beste: Selahattin Pınar / Güfte: Yusuf Ziya Ortaç

* **Şarkılar seni söyler (Huysuz ve tatlı kadın)**
  Makam: Nihavent / Beste: Muzaffer İlkar / Güfte: Fatih Özlen

Canan Tan Üzerine

Ankara'da doğdu. Ankara Üniversitesi Eczacılık Fakültesi mezunu.

Değişik edebiyat türlerindeki yarışmalarda dereceler ve ödüller aldı.

- Kelebek *(Hürriyet)* gazetesinin senaryo yarışmasında Birincilik Ödülü
- 1. Ulusal Nasrettin Hoca Gülmece Öykü Yarışması'nda 1. Mansiyon
- İnkılâp Kitabevi'nin Aziz Nesin Gülmece Öykü Yarışması'nda basılmaya değer görülen *İster Mor, İster Mavi* adlı kitabıyla, Türkiye'de mizah öyküleri kitabı olan ilk kadın yazar unvanı
- BU Yayınevi'nin Çocuk Öyküleri Yarışması'nda 1. Mansiyon
- Rıfat Ilgaz Gülmece Öykü Yarışması'nda Birincilik Ödülü
- İzmir Büyükşehir Belediyesi Çocuk Romanları Ödülü
- İzmir Büyükşehir Belediyesi Cumhuriyetin 75. Yılı Çocuk Öyküleri Ödülü
- 10. Orhon Murat Arıburnu Ödülleri'nde, uzun metrajlı film öyküsü dalında Birincilik Ödülü
- İzmir Milli Eğitim Müdürlüğü'nden 2004 Yılı Köşe Yazarı Ödülü
- Türk Kütüphaneciler Derneği'nden, "2009 Yılının En Çok Okunan Yazarı" Ödülü

Yeni Asır (İzmir) gazetesine iki yıl köşe yazarlığı yaptı.

Öykü, roman, mizah ve çocuk edebiyatı çerçevesinde çok sayıda kitabı ve senaryo çalışmaları var.

Yazarın Yayınevimizden Çıkan Kitapları

Öykü

* Çikolata Kaplı Hüzünler
* Söylenmemiş Şarkılar
* Aşkın Sanal Halleri

Roman

* Piraye
* Eroinle Dans
* Yüreğim Seni Çok Sevdi
* En Son Yürekler Ölür
* İz

Mizah Öyküsü

* İster Mor İster Mavi
* Sol Ayağımın Başparmağı
* Türkiye Benimle Gurur Duyuyor!!!
* Oğlum Nasıl Fenerbahçeli Oldu?
* Fanatik Galatasaraylı
* Beşiktaş'ım Sen Çok Yaşa

Çocuk Öyküsü

* Sevgi Yolu
* Arkadaşım Pasta Panda
* Sokakların Prensesi Şima
* Ali̇ş ile Maviş Dizisi

Çocuk Romanı

* Sokaklardan Bir Ali
* Beyaz Evin Gizemi
* Ah Şu Uzaylılar
* Sevgi Dolu Bir Yürek